Nadine Lajoie

GAGNER LA COURSE DE SA VIE

à 300 km/h avec équilibre et passion!

450-448-7748

info@performance-edition.com
www.performance-edition.com

Distribution pour le Canada : Prologue Inc.
Pour l'Europe : DG Diffusion
Pour la Suisse : Transat, S.A.
Pour l'Europe en ligne seulement : www.libreentreprise.com

2e édition publiée en 2014 aux États-Unis par Motivational Press Inc. sous le ISBN 978-1628650907

ISBN 978-2-924412-39-8
EPDF 978-2-924412-40-4
EPUB 978-2-924412-41-1

Dépôt légal 1e trimestre 2015
Dépôt légal Bibliothèque et Archives nationales du Québec
Dépôt légal Bibliothèque nationale du Canada
Dépôt légal Bibliothèque nationale de France

Traduction : Josée Amesse, Virtuose Communications
Révision : Françoise Blanchard
Couverture et mise en page : Pierre Champagne, infographiste
Photo de la couverture : Carola Gracen - Photo de la moto : Vanhap.com
Ce livre a été rédigé en étroite collaboration avec Monique Lavoie et sa sœur de la firme Communications L'Aigle Blanc ainsi que Pierre Grimard.

Nous reconnaissons l'aide financière du gouvernement du Canada par l'entremise du Fonds du livre du Canada (FLC) pour nos activités d'édition.
Nous remercions la Société de développement des entreprises actuelles du Québec (SODEC) pour son appui à notre programme de publication.

Imprimé au Canada

GAGNER LA COURSE DE SA VIE

À 300 km/h avec équilibre et passion

Nadine Lajoie

Si nous pouvions vivre notre vie
avec la même intensité,
le même focus,
la même adrénaline,
la même puissance et le même équilibre
que cette photo le démontre,
nous pourrions tous accomplir
ce qu'il y a de plus grand en chacun de nous.

- Photo par Vanhap.com

Des éloges pour le livre de Nadine Lajoie

Nadine Lajoie est l'une des conférencières les plus intéressantes que j'ai jamais entendues. Elle raconte une histoire passionnante qui changera votre vie. Elle partage avec vous les techniques et les stratégies qu'elle a appliquées et qui vous permettront de vivre vos rêves. Si vous êtes prêts à passer au prochain niveau, Nadine vous y amènera.

— Les Brown,
auteur et conférencier,
nommé l'un des 5 meilleurs conférenciers au monde
par Toastmaster

Nadine est l'une des meilleures coachs au monde que j'ai eu le plaisir de former personnellement. Je ne peux vous dire à quel point vous êtes chanceux de travailler avec elle. Si vous cherchez à faire croître votre entreprise globalement, contactez Nadine et demandez-lui de vous coacher.

— Berny Dohrmann,
président de *CEO Space International*,
la plus importante organisation mondiale de soutien
offert aux propriétaires d'entreprises, juin 2012

Vous avez été la seule personne/coach au cours de la dernière année qui m'a aidé sur le plan de l'amélioration personnelle. Je vous remercie énormément pour le coaching que j'ai reçu de votre part.

— Teo Seifer,
coach et formateur personnel accrédité

Qu'ont tous Nadine Lajoie, Lamborghini, Corvette, Ferrari et Porsche en commun? Ils sont petits et compacts, et ils surpassent presque tous ceux qui sont dans leur catégorie. Comparée à de belles voitures rapides et trépidantes, Nadine surmonte rapidement les obstacles tout en maîtrisant doucement les situations chaotiques, car elle vous montre comment reprendre votre pouvoir dans Gagner la course de sa vie.

— Sherita Herring,
auteure, conférencière et personnalité de la radio

Ouah! Cette histoire me donne des ailes! Tu es une véritable inspiration, Nadine! Je t'observe ouvrir ces portes et obtenir ce que tu désires... Tu es en train de devenir un exemple indiscutable! Merci d'être toi!

— Carèle Bélanger

Nadine nous ouvre son coeur et nous inspire!

— Pam Terry,
directrice internationale et directrice régionale,
Houston-Connection, Powerful Women International

Nadine raconte son histoire d'une façon qui nous touche tous. Son histoire et sa réussite inspirent et démontrent que n'importe qui avec le bon état d'esprit et la détermination voulue peut réaliser ses rêves et ses désirs. Tout commence par un but et la volonté de se responsabiliser et de suivre notre passion.

— Pierre Grimard, Australie,
écrivain et éditeur

RÊVEZ

comme si vous étiez éternels...

VIVEZ

comme si vous alliez mourir

aujourd'hui!

— James Dean

À ma mère et mon père qui, par leur exemple,

m'ont enseigné de bonnes valeurs,

qui se sont assurés que je reçoive une bonne éducation,

qui ont cru en moi et qui m'ont aidée

à passer au travers les épreuves et défis

que j'ai dû surmonter pour réussir.

TABLE DES MATIÈRES

Un mot d'Evelyne Clark, présidente et propriétaire de WERA

MOTORCYCLE RACING

WERA Motorcycle Racing est l'une des plus importantes associations de courses de motos aux États-Unis.

WERA est une organisation unique et nous sommes fiers d'aider chacun des pilotes à atteindre leur rêve de faire de la course tout en améliorant et en développant constamment leurs compétences.

Au cours des dernières années, nous avons vu de plus en plus de femmes participer à des courses. Les femmes abordent le sport d'une manière bien différente des hommes. Elles sont plus engagées mentalement et elles étudient chaque aspect d'une course de façon beaucoup plus analytique.

Nadine a fait de la course avec *WERA* durant plusieurs années et elle a très bien réussi. Elle est très déterminée et elle aime vraiment ce sport. Conséquemment, son livre traite de moyens pour surmonter vos peurs et sortir de votre zone de confort. Elle parle de croissance personnelle en utilisant les courses de motos comme exemple et des façons d'avoir davantage confiance en vous et de vous fixer des buts que vous pouvez atteindre. Avec des mots simples, Nadine vous inspire à vouloir beaucoup plus de la vie. Elle vous suggère des moyens faciles pour améliorer votre vie en utilisant des exemples qui proviennent du sport qu'elle aime tant.

Le livre de Nadine est une source d'inspiration pouvant aider chacun de nous de façon grandiose. Je le recommande fortement à toute personne qui est ouverte à recevoir l'inspiration et qui possède une liste de buts personnels bien précise.

Si vous êtes intéressé par notre organisation, visitez-nous au www.wera.com afin d'obtenir de plus amples renseignements ainsi que le calendrier de nos événements.

Sincèrement,
Evelyne Clarke

AVANT-PROPOS

Au cours de la dernière année, j'ai eu l'immense plaisir d'observer Nadine créer de la magie autour de son histoire personnelle.

Comme vous êtes sur le point d'en faire l'expérience par vous-même, elle est une femme d'action que rien n'arrête et qui n'a pas peur des défis.

En fait, elle les relève à *300 kilomètres à l'heure.* Nadine est une véritable leader qui dispose d'un énorme potentiel pour inspirer des millions de personnes grâce à son message d'espoir, d'endurance et de réussite.

En lisant ce livre et en découvrant tout ce qu'elle a dû affronter (en combinant sa force, son expérience et sa ténacité), vous ressentirez peut-être le même désir qu'elle, c'est-à-dire celui de passer à l'action afin de réaliser tout ce que vous désirez dans la vie. Elle vous montrera, autant sur le plan personnel que professionnel, des façons de surmonter vos peurs et sortir de votre zone de confort. À travers sa propre philosophie, ses anecdotes et ses histoires personnelles où elle raconte comment elle a vaincu l'adversité, vous constaterez que Nadine n'est pas une femme ordinaire.

Plusieurs la considèrent comme une *junkie à l'adrénaline,* mais Nadine possède aussi bien d'autres traits de personnalité remarquables. Elle a un penchant pour la spiritualité et la musique tout en faisant preuve de compétences dans le domaine des affaires. Nadine est un véritable exemple d'une personne qui vit une vie équilibrée.

Partout dans ces pages, vous serez en mesure de vous connecter/reconnecter avec votre véritable esprit puisqu'elle vous invite à faire un voyage intérieur au cours duquel vous pourriez réaliser que la personne la plus importante sur la terre et dont vous devez prendre soin, c'est *VOUS-MÊME*.

Ce livre contient des exercices qui vous guideront, étape par étape, pour vous aider à grandir, à vous réaliser et à vous souvenir de ne jamais abandonner.

Son énergie débordante transpire dans chacune des pages de ce livre.

Bonne lecture!

Greg S. Reid, coauteur de
Think and Grow Rich: Three Feet From Gold
(Réfléchissez et devenez riche : à moins d'un mètre de l'or)
et Napoleon Hill's Road to Riches
(Les Chemins de la richesse de Napoleon Hill)

PRÉFACE

Toute ma vie, j'ai été une rêveuse. Le parcours que j'ai suivi pour réaliser mes rêves est sûrement différent de celui que vous allez emprunter. J'ai toujours cru que mes rêves se réaliseraient un jour. Cependant, il était important que je suive ce parcours en particulier parce que c'était celui qui m'amènerait à les réaliser.

La première étape que j'ai entreprise en vue de les réaliser impliquait un changement de perspective majeur. Je manquais de confiance en moi. Je croyais être traumatisée émotionnellement et mentalement par des choses qui m'ont manqué lorsque j'étais enfant. Le découragement était mon compagnon de tous les instants.

En réalité, je n'ai manqué de rien. J'ai grandi dans une famille extraordinaire où l'abus verbal ou physique n'existait pas. Nous n'étions pas riches, mais nous n'étions pas pauvres non plus. Mes parents étaient de bien bonnes personnes qui s'occupaient bien de leur famille. De plus, j'étais bonne en tout! À cette époque, c'était le genre de conversation que j'entretenais en mon for intérieur et ma perspective de la vie n'était pas des plus réjouissante. Il me semblait qu'il me manquait quelque chose.

Je n'avais pas encore compris que le *pouvoir* de réaliser mes rêves se trouvait en moi. Il attendait seulement que j'ouvre la porte et que je laisse mes rêves s'accomplir. C'est dans mon âme que j'ai puisé l'inspiration. En cherchant au plus profond de moi, j'ai trouvé la clé pour transformer mes rêves en réalités.

Les rêves font partie intégrante de la personne que nous sommes. Ils sont le reflet de notre confiance en la vie, ils alimentent nos réalisations quotidiennes et nous donnent de l'énergie. Cette énergie se renouvelle sans cesse et se dégage autour de nous. Nos rêves nous rendent différents et uniques. Ils expriment l'amour contenu à l'intérieur de nous et la passion de ce que nous espérons accomplir.

Ma devise est JE ME DONNE DU *POUVOIR*. Nous, les humains, avons la capacité d'aller voir au fond de notre cœur et d'y découvrir notre propre *pouvoir*. En agissant ainsi, nous apprenons à nous connaître, à découvrir ce qui nous allume et ce qui fait battre nos cœurs plus rapidement. Lorsque cela se produit, nous devons être à l'écoute. C'est l'étincelle, le feu, qui nous dit jusqu'où et à quelle vitesse nous devons nous déplacer durant notre parcours. À son tour, le parcours nous procure la confiance dont nous avons besoin pour atteindre nos buts.

Bien entendu, en cours de route, des questions nous viendront à l'esprit.

- Lorsque nous découvrirons la passion de notre vie, nous apportera-t-elle le bonheur?
- Jusqu'où désirons-nous aller?
- Est-ce que la lune est assez loin ou voulons-nous continuer à l'infini?
- Notre passion est-elle la partie la plus importante de notre esprit et de notre âme?

Souvenez-vous que de trouver notre passion ne signifie pas pour autant que notre chemin de vie ne sera pas chaotique à certains moments. La vie n'est pas toujours facile. Elle ne l'a pas été pour moi et je présume que c'est sensiblement la même chose pour bon nombre d'entre vous.

Plus d'une fois au cours de ma jeunesse, j'ai envisagé le suicide. Mais quelque part à l'intérieur de moi, je sentais que la vie valait la peine d'être vécue. Alors, plutôt que de mettre fin à mes jours, j'ai choisi de la vivre d'une façon qui célébrait sa valeur. J'ai décidé de raconter mon histoire afin qu'elle puisse inspirer des gens qui sont terrassés par des épreuves à reprendre espoir. Je veux inspirer l'espoir, la confiance, le *pouvoir* et la liberté à ceux qui ont très envie de croire en eux-mêmes et qui veulent prendre de bonnes décisions aux bons moments.

Une autre de mes passions est de partager ma vision et mes connaissances avec des gens qui sont sur le point d'abandonner. Mon message est puissant, clair et pertinent : même dans vos moments les plus sombres et les plus décourageants, *continuez à rêver, continuez à vivre*. Ne vous affligez pas des accidents qui surviendront le long de votre parcours. Ces coups du sort nous enseignent de précieuses leçons desquelles nous apprenons et grandissons pour mieux avancer par la suite. Ils nous apprennent à avoir confiance et à nous DONNER DU *POUVOIR* pour visualiser nos rêves et nous aider à les concrétiser.

Enfin, nous devons nous poser la question suivante :

QUELLES SONT NOS PLANCHES DE SALUT?

- Notre enfant intérieur
- Notre liberté
- La source de notre vie
- La lumière de notre âme
- Notre propre foi
- Notre *pouvoir* de donner
- Être l'enfant du Roi

J'ajoute continuellement dans ma vie des éléments qui me permettent de me DONNER DU *POUVOIR*. Je vis à 300 kilomètres à l'heure autant sur la piste de course que dans ma vie quotidienne.

- À combien de kilomètres à l'heure devez-vous aller pour réaliser vos rêves?
- Êtes-vous prêt à continuer à rêver et à vivre pleinement?
- Êtes-vous prêt à gagner la course de votre vie?

Alors, joignez-vous à moi sur le parcours qui a gardé et qui continue de garder mes rêves vivants.

REMERCIEMENTS

Tout d'abord, j'aimerais vous saluer, cher lecteur, vous qui commencez à lire ce livre, non seulement parce que vous prenez le temps de continuer et d'améliorer votre parcours de vie avec moi, mais aussi d'être ici sur cette terre et de continuer à faire face courageusement à tous les défis que vous devrez surmonter dans votre vie.

Je voudrais remercier de tout mon cœur mes parents, Gaétane et Alain Lajoie ainsi que mes frères et sœurs (Steve, Sara, Lisa et Mathieu) pour leur amour, les valeurs profondes et l'éducation qu'ils m'ont procurés et qui m'ont aidée à devenir plus curieuse et à vouloir apprendre davantage chaque jour.

Merci à mes chers amis qui ont cru en moi, en mes rêves et qui m'ont soutenue durant mes années les plus sombres, tout particulièrement Michèle et Pierre Farah-Lajoie, Denise Rioux, France Gosselin, Chantal Cormier, Mike Farbotko, Josée Chevalier et plusieurs autres qui m'ont écoutée, sans aucun jugement. Annie Marquier de l'Institut du développement de la personne (www.idp.qc.ca) qui m'a montré la façon de découvrir mon *Soi* afin de trouver la joie, la paix, l'énergie et la lumière à l'intérieur de mon cœur et de mon âme pour grandir personnellement et spirituellement afin de jouir d'une meilleure vie et pour inspirer le plus de gens possible, chaque jour, partout dans le monde.

Sur le plan des affaires, je voudrais reconnaître et témoigner toute ma gratitude à Patrick Masse qui m'a fait confiance et qui m'a donné l'occasion d'être son mentor il y a de cela presque vingt ans. Aujourd'hui, il dirige l'une de mes compagnies avec énormément de succès. *Lajoie des Finances* est une entreprise située à L'Île-Perrot au Québec dont la mission est de simplifier la vie des gens au niveau financier, d'année en année. Cette compagnie fait partie du club d'Excellence du Canada du Groupe financier Peak depuis 2002. Sans lui, ma réussite et ma vie ne seraient pas les mêmes. Je tiens à souligner le rôle que joue mon amie, Carèle Belanger, dans mes nouveaux projets et de son soutien inconditionnel.

Finalement, au cours des dernières années, l'écriture et la publication de ce livre ainsi que la réalisation de ma mission ont été soutenues et nourries par plusieurs personnes chez CEO Space (www.ceospace.net), y compris Berny Dorhmann, Karin Hoffman, David E. Stanley, Les Brown, Greg S. Reid, Barry Spilchuk, Omia Mansi, Monique Lavoie, Diane Leboeuf, Nicole Germain, Pierre Grimard, Raymond Chamberland, Marie-Ève Bilodeau et Didier Dubois, pour ne nommer que ceux-là. Merci à tous ceux qui m'ont soutenue de quelque façon que ce soit.

Sachez que rien n'est passé inaperçu et que votre nom est gravé dans mon coeur pour toujours.

AU SUJET DE L'AUTEURE

Nadine Lajoie est championne de courses de moto, conférencière de réputation internationale, auteure, coach, musicienne, experte en investissement immobilier et planificatrice financière. Elle est dédiée à aider les gens à jouir de leurs rêves en trouvant leur équilibre et leur passion.

D'origine canadienne, Nadine Lajoie a déménagé en Californie pour poursuivre son rêve à long terme celui de vivre aux États-Unis.

Elle a écrit ce livre pour inspirer les gens à réaliser leurs rêves. Dynamique, concentrée, disciplinée et visionnaire, Nadine est aussi pianiste, guitariste, auteure-compositrice-interprète; elle est une artiste polyvalente.

Elle a déjà été reconnue comme étant l'une des dix meilleures joueuses de volleyball dans des championnats canadiens avant que des blessures la forcent à prendre une autre direction.

Née à Saint-Irénée au Québec, elle a obtenu un baccalauréat en actuariat. Elle a lancé une firme de planification financière ayant connu un grand succès et elle a été récompensée durant huit ans par le Club d'Excellence du Canada qui lui a décerné plusieurs prix.

Nadine a démarré sa compagnie d'investissement en immobilier en 2008 et elle aide les gens à atteindre leurs buts sur le plan financier.

Selon elle, « *vous pouvez accomplir tout ce que vous désirez en trouvant l'équilibre et la passion d'un champion, en vivant votre vie par étape et en prenant un seul virage un à la fois.* »

Son livre enseigne à ceux qui cherchent à s'améliorer des façons de poursuivre la réalisation de leurs rêves en se DONNANT DU *POUVOIR* autant sur le plan personnel, professionnel que spirituel.

INTRODUCTION

C'est avec beaucoup d'amour que je vous souhaite la bienvenue. Je suis heureuse et reconnaissante de partager avec vous une partie de mon histoire. Grâce à ce livre, j'espère vous inspirer à continuer de vous battre pour atteindre vos objectifs de vie, à apprendre tout ce que vous devez savoir et à vous stimuler à persister dans l'action en vue de réaliser vos rêves.

Ma vie, tout comme mes courses de motos, se déroule à 300 kilomètres à l'heure. J'éprouve énormément de plaisir à prendre des risques et j'apprends de mes réussites autant que de mes erreurs. Bien que la course de moto fait monter l'adrénaline en moi, elle n'éveille pas pour autant mes sentiments. Ces derniers se manifestent en raison de mon parcours de vie. Lorsque je me regarde dans le miroir, le seul visage que je vois, c'est le mien. Je suis responsable des chemins que j'ai décidé d'emprunter.

La moto représente le cours de ma vie et, possiblement, de la vôtre aussi, si on s'en sert comme analogie. Elle nous permet d'accélérer au maximum et de rendre nôtre cette piste de course. Elle nous permet de nous concentrer totalement sur nos buts. Elle nous fournit aussi l'adrénaline dont nous avons besoin pour les poursuivre et les atteindre. La vie est une course. Chaque tour de piste représente nos défis quotidiens.

Parfois, ces défis prennent la forme d'accidents de parcours qui nous donnent de sérieuses leçons et, de ce fait, nous aident à grandir sur différents plans soit ceux de la confiance en soi, de l'amour et, surtout, de la passion dans tout ce que nous cherchons à accomplir tout au long de notre vie.

Nos rêves deviennent donc les buts et les objectifs que nous tentons d'atteindre tout au long de notre existence. Nous n'arriverons peut-être pas à les atteindre tous; en fait, il est fort probable que nous n'y arriverons pas.

Par contre, ceux qui ne se matérialiseront pas étaient peut-être de mauvais choix ou leur caractère évasif pouvait provenir d'une erreur quelconque hors de notre contrôle. Nous ne devons pas accorder d'importance aux échecs, sinon d'en tirer des leçons pour mieux performer dans nos prochaines tentatives. Nous devons continuer à créer notre légende personnelle, à atteindre notre sommet le plus élevé et à rester dans la course pour remporter notre trophée.

Il peut être utile de nous percevoir comme des artistes sans inspiration devant une toile blanche ou devant une toile dont l'œuvre est obscure. Tout manque d'inspiration, tout est hors contexte. Nous retirer pour rafraîchir nos idées nous permet de voir les choses sous un angle différent. À partir d'un nouveau point de vue, il nous est possible de peindre un chef-d'œuvre, de donner la performance de notre vie et d'expérimenter une vie remplie de satisfaction.

Nous sommes tous des artistes. Toutefois, nous peignons en utilisant différents médiums ou nous performons en nous servant de différents moyens d'expression. Nos chemins nous mènent dans différentes directions. Le parcours n'est peut-être pas facile; mais en dépit des embûches, des doutes, du manque de partisans et/ou des médias négatifs qui nous rendent perplexes, nous devons continuer le périple que nous avons choisi.

C'est la partie de mon histoire que je désire partager avec vous — mes rêves, mes doutes, mes peurs. Durant plusieurs jours et plusieurs nuits, mon manque de confiance en moi m'a déroutée. Mais même lorsque je n'étais pas au sommet de ma forme, j'ai beaucoup appris sur la piste de course de *ma* vie.

Lorsque j'étais enfant, je passais des heures assise au piano à jouer sur les touches, j'étais fascinée par les sons. La musique m'amenait dans un endroit dans ma tête où je pourchassais mes rêves d'enfant. J'espère sincèrement qu'en partageant mes expériences avec vous, vous en viendrez à mieux comprendre *qui vous êtes*, tout comme ce fut mon cas.

Toute ma vie, j'ai partagé mon amour de la musique partout où j'allais. Je trouvais que c'était une source de relaxation, peu importe si je jouais du piano, de la guitare ou que je chantais. Les paroles sont importantes pour moi parce que les mots racontent une expérience de vie, qu'elle soit bonne ou mauvaise. Les chansons m'ont souvent aidée à surmonter les obstacles qui s'imposaient sur ma route.

- Que faisons-nous lorsque des pensées négatives envahissent notre esprit?
- Que faire avec des sentiments de manque d'estime de soi ou des pensées suicidaires?
- De quelle façon, pouvons-nous combattre des opinions dégradantes à notre égard et maintenir notre foi et notre persévérance tout au long de notre parcours vers l'atteinte de nos buts?

En premier, et avant toute autre chose, nous ne devons jamais essayer d'y parvenir par nous-mêmes. Nous devons nous tourner vers des gens qui nous aiment et qui ne nous jugent pas. Cette aide peut venir d'un proche, d'un ami ou même d'une simple connaissance qui est prête à nous écouter et peut-être même à nous conseiller. J'ai reçu ce genre d'aide au moment où j'étais rendue au point où je croyais être incapable d'affronter ma propre vie. J'ai alors téléphoné à ma mère. (Je parle de cette expérience au chapitre 4.)

Mon message ici est simple : il se peut que nous vivions dans la noirceur et que nous soyons pris dans un étau. Pour nous en sortir, nous devons élargir notre vision, nous permettre d'être guidé de l'intérieur et faire confiance à la personne à qui nous nous confions.

En agissant ainsi, j'ai pu faire confiance à d'autres personnes qui m'ont aidée à voir mes problèmes de façon différente. Grâce à elles, j'ai pu raffermir ma confiance en moi.

En lisant mon histoire, vous réaliserez que c'est durant mon parcours que j'ai commencé à croire en moi. Comme je conduisais à 300 kilomètres à l'heure sur la piste de course autant que dans ma vie, je devais absolument m'allouer du temps pour goûter à la vie.

Faire du sport m'a aidée à relaxer et à faire preuve de détermination pour surmonter mes défis. Le volleyball en est un excellent exemple. En raison de ma petite taille, les gens croyaient que je ne pourrais jamais réussir dans ce sport. Mais, bien au contraire, j'ai connu plusieurs victoires en pratiquant ce sport. Je me suis classée neuvième aux championnats canadiens, dépassant même mes propres attentes.

Mon triomphe au volleyball m'a procuré l'élan nécessaire pour obtenir de meilleurs résultats dans mes études, mes compagnies et dans d'autres projets dans lesquels je me suis investie.

INTRODUCTION

Si je n'avais pas découvert cette passion, cette petite étincelle à l'intérieur de moi, je n'aurais peut-être jamais atteint un seul de mes buts et je ne serais probablement plus vivante aujourd'hui pour écrire au sujet de mes expériences. Découvrir les passions qui sommeillent en nous et être motivés par notre confiance en soi pour les alimenter sont d'une nécessité absolue si nous voulons nous assurer la victoire.

Ce livre porte surtout sur l'un de mes rêves les plus ardents, la course de moto. Il a pour but de vous inspirer et de vous aider à accepter l'idée que tout est possible. Vous pouvez atteindre votre destination une fois que vous avez reconnu que vous possédez les outils nécessaires. si vous êtes prêt à faire les sacrifices requis.

Je me suis donné le *pouvoir* de réaliser ce que je désirais plus que tout. J'ai dû renoncer à des biens matériels, surmonter mes peurs et prendre le chemin qui menait à la réalisation de mes rêves. J'ai vécu cette expérience et j'en ai raffolé. J'ai ri et j'ai pleuré et, durant tout ce temps-là, mon cœur a chanté de joie.

Nos rêves les plus sublimes se réalisent uniquement grâce à une remarquable détermination.

À l'intérieur de chacun de nous se trouve un guerrier qui n'attend qu'à être éveillé pour combattre avec nous vers l'atteinte de nos buts. Nous avons besoin de cet *aidant naturel* et il nous faut visualiser l'endroit où nous désirons nous rendre. Nous sommes alors prêts à nous engager avec ce guerrier à nos côtés comme compagnon d'armes durant notre combat en vue de réaliser nos rêves.

Souvent, nous devons sacrifier certains choix que nous avions faits avant de nous engager envers nos rêves. Cela peut vouloir dire changer notre style de vie, ne plus être un fêtard, renoncer à certains biens matériels et peut-être même aller jusqu'à quitter notre famille ou nos proches, surtout s'ils nous découragent.

Ces changements nécessaires nous évitent des détours et des impasses durant le parcours qui nous mène à notre nouvelle destination.

Faire des choix est un stimulant très puissant et prendre des décisions sages nous rend maître de notre propre destin. Passer à l'action est crucial pour atteindre nos buts.

Dans ce livre, vous découvrirez comment, vous aussi, vous pouvez VOUS DONNER DU *POUVOIR* afin de vous concentrer précisément sur votre parcours vers la réalisation de vos rêves.

Profitez de l'inspiration que vous procure la lecture de ce livre pour procéder à l'amélioration de votre vie. Refaites un plein d'énergie et découvrez des outils simples et précieux qui vous permettront d'accéder à la vie dont vous rêvez.

DÉTERMINEZ CLAIREMENT VOS RÊVES ET VOS BUTS

Réalisez vos rêves

Ma mission est de vous inspirer à poursuivre vos plus grands rêves et à vous inciter à vivre votre vie en avançant le plus vite possible – à 300 kilomètres à l'heure!

Je vous invite dans ma vie et je vous amène avec moi sur la piste de course. Vous serez assis derrière moi sur ma moto et je partagerai mes aventures avec vous au fur et à mesure de la réalisation de mes rêves. Vous vous rapprocherez ainsi de la découverte de vos propres buts ce qui vous aidera à vous concentrer sur la ligne d'arrivée de la réalisation de *vos* rêves. Vous découvrirez comment aller puiser dans le réservoir de *pouvoir* qui réside en vous.

Mes expériences de vie ont inspiré autant de jeunes adultes que des personnes plus matures les incitant ainsi à changer de vitesse, à passer à l'action et à sortir de leur zone de confort. Les histoires passionnantes contenues dans ces pages ont pour but de vous inspirer dans l'espoir de vous stimuler à réaliser vos rêves.

Ma vie ressemble beaucoup à ma moto, je vis à 300 kilomètres à l'heure. J'y prends beaucoup de plaisir et j'apprends de mes succès tout autant que de mes erreurs, et ce, chaque jour. En effet, la moto crée beaucoup d'adrénaline et de plaisir, mais le message de ce livre n'a pas vraiment rapport avec la moto en soi, c'est plutôt un message de vie, un parcours qui nous aide à faire face à ce que nous sommes.

Je prends la moto comme exemple pour vous aider à mieux comprendre. Cette analogie me permet de pousser à fond sur l'accélérateur et d'avancer avec détermination et de m'emparer de la piste comme si elle était mienne. Cette attitude me prédispose à mieux me concentrer sur le but que je veux atteindre; c'est ce qui me fournit l'adrénaline nécessaire pour continuer, pour accomplir mes objectifs et les réaliser.

La vie fait partie de cette course, elle nous stimule à poursuivre nos objectifs tout en affrontant nos défis quotidiens. Mais, il arrive que ces défis soient des accidents de parcours qui nous enseignent de bonnes leçons, qui nous offrent un bon apprentissage et qui nous aident à grandir comme personne.

Au cours de ma vie, j'ai dû affronter plusieurs défis, je vous en donne un exemple avec le volleyball. Comme je suis une personne de petite taille, tout le monde me décourageait et pensait que je ne pourrais jamais jouer et exceller à ce sport.

Mes 5 blessures au genou droit ne m'ont pas arrêtée pour autant lors du Championnat canadien

En tant qu'athlète sportive de compétition, j'aurais dû arrêter de jouer au volleyball en 1996 lorsque j'ai subi ma première blessure au genou droit lors d'une compétition provinciale. J'ai dû arrêter durant presque trois mois pour qu'elle guérisse, car on me disait que ce n'était qu'une élongation du ligament croisé. Après environ huit heures d'attente à l'hôpital du Lakeshore, au Québec, je me suis retrouvée avec une attelle qui empêchait mon genou droit de bouger pour une période de deux à trois semaines. J'ai découvert par la suite que c'était la pire chose à faire. J'ai perdu presque 5cm de tour de jambe et tous mes muscles ont fondu. Vu que ce n'était pas une blessure apparente et que notre système de santé était tellement embourbé, mon cas s'est éternisé à l'hôpital et au cours des rendez-vous de suivi subséquents. Sans compter que j'ai eu un mauvais diagnostic, comme il arrive malencontreusement trop souvent.

Vu que le volleyball et le piano avaient sauvé ma vie jusqu'en 1995, me retrouver clouée à la maison durant trois mois a été une petite rechute dans la négativité, les pensées défaitistes, une mauvaise attitude et l'apitoiement sur moi-même. Une chance que j'ai rencontré un nouveau copain durant cette période. Cet arrêt forcé m'a permis de passer plus de temps avec lui. Cette relation a duré neuf ans. Il y a toujours un coin de ciel bleu dans toutes les épreuves que nous devons affronter, mais quand nous en sommes captifs, il nous est vraiment difficile de voir le soleil qui brille au-dessus du gros nuage noir. Malgré des traitements de physiothérapie, l'entraînement au gym de cinq à sept jours par semaine au cours des années suivantes, reprendre le volleyball et les joutes de hockey, mon genou n'a jamais repris sa force initiale.

Quelques mois plus tard après mon retour au volleyball, j'ai subi une deuxième blessure, la même! Je m'obstinais avec les docteurs comme quoi mon ligament était déchiré, que je voulais me faire opérer, car mes amis qui avaient subi une opération revenait à leur forme physique initiale en un ou deux mois, tandis que je n'étais jamais revenue à plus de 80 % de ma forme.

En plus de ne mesurer que 1m55, de m'être battue durant plusieurs années pour faire ma place dans le monde du volleyball en tant qu'attaquante, je devais maintenant me battre avec une blessure. Les médecins ont finalement refusé de m'opérer. Je n'étais même pas passeuse, mais attaquante, à la grandeur physique que j'avais.

C'était une première, je n'ai jamais rencontré d'autres joueuses de volleyball au niveau collégial, provincial ou canadien ayant une aussi petite taille que la mienne. Lorsque j'ai presque réussi à joindre l'équipe étoile du Cégep (je me battais pour la 6e position, mais j'avais perdu et fini en 7e parmi toutes les équipes des Cégeps de la région de Québec), j'étais très déçue, mais avec le recul, j'étais très satisfaite de mon accomplissement et de ma détermination.

Entre 1996 et 2000, j'ai finalement subi cinq blessures au même genou, toujours pour la même raison, mais c'est seulement à la quatrième blessure que le médecin a admis que le ligament était déchiré depuis longtemps et que je devrais subir une opération pour le remplacer.

Les listes d'attente étaient tellement longues qu'il m'aurait fallu des années avant d'accéder à une telle opération. Mes chances de revenir au volleyball étaient très minces.

Il vous est sûrement facile d'imaginer que lorsque vous êtes la plus petite de l'équipe, jouant avec une *attelle* au genou que cela réduisait grandement ma mobilité. En plus, je n'étais jamais revenue à plus de 80 % de ma capacité ayant été blessée à répé-tition, donc le téléphone sonnait de moins en moins. Les équipes qui me demandaient de jouer pour elles n'étaient plus parmi l'élite gagnante des tournois.

J'étais donc sur mon déclin, mais j'entretenais un désir intense de continuer à jouer quand même, et cela, à n'importe quel prix. Je m'entraînais au gym en pleurant, car je détestais cet entraînement, mais au moment des joutes, lorsque je faisais de bon coups, je flottais sur un nuage. J'adorais la compétition et elle me manquait énormément. J'aurais bien aimé être dans ma forme physique de mes 20-25 ans, comme la plupart de ceux et celles qui excellaient.

Quand je vois des jeunes, spécialement les plus grand(e)s qui ne pratiquent aucun sport, ça me désole vraiment et je trouve cette inertie vraiment aberrante. Il est dommage que la société et les parents n'encouragent pas plus leurs enfants à la pratique des sports!

Finalement, ma cinquième blessure s'est produite en 2000, à un moment très critique de mes dernières années d'athlète! J'étais littéralement *en feu* lors de ce tournoi 2x2 à la plage de Pointe Calumet avec ma coéquipière. Nous visions la 6e position au classement du Championnat provincial. C'était très critique, car les dix premières équipes seraient invitées à partciper au Championnat canadien, un de mes rêves les plus chers. Je pense qu'on approchait des demi-finales lorsque, encore une fois, mon genou a lâché complètement!

Quelle douleur physique! Mais la douleur mentale et émotionnelle étaient encore plus insupportables. Mon rêve s'envolait en fumée!

J'ai dû arrêter encore une fois pour le reste de l'été et mes chances de participer au Championnat canadien cette année-là, même à celui de l'année suivante, devenaient quasi-impossibles. Bien sûr, ma partenaire a été forcée de se trouver une autre coéquipière pour terminer l'été, car mes capacités déclinaient énormément après chaque blessure. J'ai téléphoné à des ami(e)s qui avaient déjà subi cette opération et qui revenaient en force rapidement par la suite pour savoir de quelle façon je pouvais subir l'opération le plus rapidement possible.

Le Dr Nicolas Duval a sauvé la fin de ma carrière! Comme il est lui-même un ex-joueur de volleyball, lorsque je voulais obtenir un rendez-vous plus rapidement, je devais mentionner le mot *volleyball*. Il comprenait ma passion et les raisons pour lesquelles il m'était si important de *retomber sur mes pattes* le plus vite possible. Mais dans le meilleur des cas, l'attente pour l'opération était de trois à quatre mois.

Il m'a dit : « De toute façon, tu joues déjà au volleyball blessée depuis quatre ans, continue à t'entraîner, à renforcir tes muscles et peut-être que tu pourras finir l'été. De toute façon, je ne peux pas t'opérer avant l'automne et ta seule chance est de faire partie des *cobayes* du projet pilote. »

À l'automne, il pouvait installer un ligament artificiel qui nécessitait de six à huit semaines de convalescence et qui devait être efficace pour environ dix à quinze ans. J'en suis très reconnaissante, car ça fait maintenant presque quinze ans et il tient toujours le coup.

Je suis sortie de cette consultation plus déterminée que jamais à guérir rapidement et à me retrouver une autre partenaire pour le prochain tournoi ou, au pire, le suivant.

Donc, avec les points accumulés, il y avait encore de petites chances. Toutes les bonnes joueuse étaient déjà engagées, mais Jany McCarthy, vedette montante d'environ 17 ans, très grande, a finalement accepté mon offre de faire équipe avec moi. Jouer avec moi était aussi une opportunité pour elle d'augmenter son calibre de jeu sur le sable grâce à toute l'expérience que j'avais acquise au fil des ans.

Nous nous entraînions et pratiquions autant que possible, nous jouions ensemble dans d'autres tournois aussi et nous avons terminé 11e au Championnat provincial. Malheureusement, nous n'avons pas été sélectionnées et sommes restées sur la liste d'attente!

Deux semaines avant le tournoi, une équipe s'est désistée et j'ai reçu un appel pour la remplacer. Nous n'avions que quelques heures pour prendre une décision. J'ai donc téléphoné à Jany et à ses parents pour discuter de logistique : transport, chambre d'hôtel ou camping, et autres. Finalement, nous avons participé ensemble à ce tournoi. Yeah!!!! Quelle joie!

Cette journée était la meilleure journée de ma vie, d'autant plus qu'un client que je sollicitais depuis quatre ans m'a finalement accordé un contrat pour investir plusieurs millions de dollars dans un abri fiscal légal grâce auquel j'ai gagné environ 125 000 $ pour finaliser cette transaction, lui faisant économiser par le fait même une énorme somme d'argent en impôts. Wow!

J'étais encore en pyjama dans ma cuisine, à l'apogée de mes carrières de volleyball et de planification financière! Je n'en croyais pas mes yeux ni mes oreilles... deux bonnes nouvelles en moins d'une heure d'intervalle! Je ne tenais plus en place. Cette journée restera gravée dans ma mémoire à tout jamais. Je m'en rappelle comme si c'était hier et les larmes me montent encore aux yeux en écrivant ces lignes.

Au Championnat national canadien de volleyball de plage qui a eu lieu à Wasaga Beach en Ontario, nous avons bien joué durant tout le week-end, même si le calibre était vraiment élevé.

Notre but était de terminer parmi les dix premières équipes. Nous avons échappé la dernière partie pour nous classer en 7e place à cause d'un peu trop de nervosité et d'erreurs de notre part. Nous avons tout de même terminé le championnat en 9e place.

Nous étions vraiment excitées et contentes de notre performance et nos souvenirs sont inoubliables. Lorsque j'y repense, cinq amies contre qui nous jouions dans la même ligue se sont qualifiées pour les Jeux olympiques. Ce n'est pas rien!

Guylaine Dumont et Annie Martin ont perdu la médaille de bronze aux mains de Misty May et Kerri Walsh aux Jeux olympiques d'Athènes en 2004, alors que les Américaines ont remporté la victoire lors de trois jeux olympiques consécutifs : 2004, 2008 et 2012.

Il est assez difficile de croire que j'ai pu me rendre aussi loin, spécialement si l'on considère ma petite taille et mes blessures.

Une des qualités qu'il faut posséder lorsque nous voulons gagner et que je partage souvent en conférence est *l'entêtement* dans le sens positif du terme.

Toute cette histoire, toute cette joie, tous ces bons souvenirs de mon dépassement et de la réalisation de mon rêve ne seraient jamais arrivés sans mon entêtement.

La persévérance est une chose, la détermination en est une autre, mais je crois, et cela par expérience, que l'entêtement m'a menée beaucoup plus loin dans ma vie et mes carrières que la persévérance et la détermination.

Ma mission est d'inspirer les gens

En 2007, j'ai réalisé que ma mission était d'inspirer les jeunes et les adultes partout sur la planète pour les inciter à continuer vers la réalisation de leurs rêves et à vivre leur vie à 300 kilomètres à l'heure. À travers le récit de mes histoires, de mes courses de moto et de mes voyages, je les incite à découvrir leurs buts, leurs réalisations et à utiliser le *pouvoir* qui vit en eux.

Je suis une personne multidisciplinaire ayant plusieurs cordes à mon arc. Je suis auteure-compositrice-interprète, pianiste, guitariste, je suis une femme d'affaires qui possède maintenant six entreprises dont un cabinet de services financiers et une entreprise d'investissements immobiliers aux États-Unis. Je donne également des conférences partout dans le monde, j'ai fait et accompli plusieurs autres choses dans ma vie.

Mon vécu inspire les jeunes et les adultes à passer à l'action afin d'accomplir leurs rêves. Je désire les aider à sortir de leur zone de confort.

Ce livre contient plusieurs anecdotes dans le but de vous inspirer à passer à l'action et réaliser vos propres rêves. En premier, j'aimerais partager avec vous différentes stratégies et leçons qui m'ont aidée et que j'ai incluses dans ma vie, mes expériences de voyage et mes courses de moto. Lorsque je compare la route de la vie à une piste de course, vous serez en mesure de voir les similarités.

J'ai créé un processus en six étapes en utilisant l'acronyme C.O.U.R.S.E. dans le sens de vous *inspirer*, vous *donner* du *pouvoir* à partir de l'intérieur, et cela, pour vous aider à gagner la course visant à réaliser vos rêves. C'est très facile à retenir et ça fonctionne sur tous les plans de notre vie, c'est-à-dire sur le plan personnel, professionnel et spirituel.

Ciblez votre ligne d'arrivée.

Organisez-vous pour effectuer un virage à la fois.

Usez de bienveillance envers tous les habitants de la planète.

Réappropriez-vous de votre pouvoir de gagner.

Soutenez la cadence, n'abandonnez jamais!

Élaborez un plan pour atteindre le drapeau à damier.

Un diplôme universitaire

Avez-vous déjà été déçu?

Malgré tous vos efforts, toutes vos énergies et tous les sacrifices que vous avez déjà faits, que ce soit dans vos relations, à l'école ou au travail, avez-vous l'impression d'avoir échoué?

Êtes-vous déprimé parce que vous n'avez pas encore pu réaliser le rêve que vous poursuiviez?

Ne vous découragez pas, il y a de nombreuses personnes qui vivent la même situation!

Si vous voyiez où j'en suis maintenant, il vous semblerait impossible de croire que j'ai pu expérimenter les mêmes déceptions que vous et les mêmes émotions à plusieurs occasions dans ma vie.

La bonne nouvelle, c'est que chaque fois que cela s'est produit, j'ai appris et j'ai grandi. La même chose vous arrivera. Chaque défi vous propulsera vers un nouveau niveau. Comment? En utilisant vos outils de croissance pour VOUS DONNER DU *POUVOIR*. En relevant des défis, vous grandissez et, par le fait même, vous vous aidez vous-même, vous ne ressentez plus les mêmes choses de la même façon.

Je vous dirais que le plus gros défi que j'ai eu à surmonter dans ma vie a été mon baccalauréat en actuariat.

La gestion des risques dans le domaine de la finance – en actuariat – exige beaucoup de connaissances en mathématiques, en statistiques et en économie. J'ai mis beaucoup d'efforts dans mes études et j'ai brûlé beaucoup d'énergie (pour rien, je crois!), car c'est l'un des baccalauréats les plus difficiles à obtenir. J'aime les mathématiques et j'aime jouer avec les chiffres. Tenter d'obtenir ce diplôme m'a causé beaucoup de stress.

Je pensais que d'obtenir ce diplôme m'aiderait à atteindre un de mes rêves qui était de déménager en Californie (ou peut-être en Australie) où je pourrais voir le soleil se coucher chaque soir sur l'océan Pacifique. Je voulais entendre le son des vagues venir échouer sur la plage et où je pourrais jouer au volleyball à l'extérieur à longueur d'année. Je fantasmais aussi au sujet d'avoir un emploi très bien rémunéré (plus de 180 000 $ U.S.), de donner des conférences un peu partout au pays afin d'aider les gens à établir leur plan de retraite.

Ces rêves ne se sont pas réalisés et je suis devenue de plus en plus déprimée. Durant plusieurs années, je me suis demandé pour quelles raisons, considérant tous les efforts que j'avais faits, mes rêves ne s'étaient pas concrétisés. Le *timing* n'était pas bien choisi. Mais pour quelle raison ai-je dû vivre une telle situation?

En décembre 1992, j'ai terminé mon baccalauréat. Je pensais au moins obtenir un bon poste dans le domaine de l'actuariat, mais les grandes entreprises n'embauchaient plus, elles faisaient des mises à pied, surtout en ce qui concernait les employés gagnant des salaires faramineux.

Quand j'ai commencé en 1989, les gens trouvaient du travail facilement, mais la récession de 1990-1991 a frappé fort et a changé complètement le milieu du travail. Le recrutement de candidats est passé de 100 % à 25 % et mon rêve s'est envolé. Le moment ne pouvait pas être plus mal choisi! J'avais toujours le sentiment de n'être jamais à la bonne place et au bon moment; c'était vraiment frustrant. J'ai pu trouver du travail dans mon domaine au cours de l'été 1992. Par la suite, je me suis dit que j'arriverais surement à trouver un emploi permanent. Mais ce ne fut pas le cas.

En fait, on a fermé le service et il n'y avait plus aucun moyen d'obtenir un poste permanent dans mon domaine parce que beaucoup de gens perdaient leurs emplois.

J'ai finalement accepté un poste de secrétaire à Montréal exactement là où je ne désirais pas travailler. Quelle énorme déception après avoir fait autant d'efforts!

Je voulais fuir ma vie et mon cercle d'amis. Je me demandais même si j'avais encore des amis parce que j'en étais venue à adopter une attitude tellement négative. Je voulais un nouveau départ pour voyager, fuir la neige et les hivers froids du Québec, fuir cette vie malheureuse que je faisais mienne, en grande partie dans ma tête! Je voulais que ma vie change de manière radicale.

Cette partie de ma vie était trop négative. Je me suis mise à croire qu'en entretenant un état d'esprit plus positif, en pensant plus positivement et en ayant une meilleure attitude que ces améliorations de ma condition mentale m'amèneraient à faire de meilleurs choix dans ma vie.

Ce n'est pas arrivé à ce moment-là, car il y avait trop de choses que je devais apprendre, il faut croire que ce n'était pas ma mission. Vous pensez peut-être que vous n'avez pas pris la bonne direction ou la bonne décision. Je vous comprends parce que je l'ai moi-même vécu. Vous aurez à comprendre par vous-même si cela vous arrivait. Lorsque vous êtes dans une telle situation, c'est très difficile et frustrant.

J'ai commencé à jongler avec des images et des pensées dans ma tête, constatant que mon attitude générale par rapport à la vie dépendait de ma négativité. J'ai décidé qu'un des changements dont j'avais besoin était de travailler à devenir plus positive. Peut-être que cela allait m'amener à faire des choix plus éclairés et, par le fait même, obtenir de meilleurs résultats.

J'ai essayé de changer, mais ça ne donnait rien. J'avais l'impression que je n'arriverais pas à accomplir ma mission. J'attendais quelque chose. Maintenant, je sais que je devais apprendre une sérieuse leçon sur la route de ma vie. Mais je ne la voyais pas à l'époque. J'étais aveuglée par mes mauvaises décisions et je présentais une condition sérieuse de *vision tubulaire.*

Appliquez ce qui suit à votre situation et pensez-y de cette manière. Vous êtes dans la forêt, mais vous ne voyez pas très bien parce que vous avez le nez collé sur un arbre et vous avez l'impression d'être incapable de le contourner. Vous êtes captif. Rien ne pointe à l'horizon pour vous et vous êtes coincé à cause de votre *vision tubulaire.* Comment faites-vous pour vous en sortir?

Prenez du recul. Ajustez votre vision. Déplacez-vous de votre position derrière cet arbre pour voir plus loin. C'est seulement en vous positionnant de façon différente que vous pourrez voir ce qui se trouve à l'horizon dans votre champ de vision. Dans le domaine de la course, nous faisons souvent face au même problème lorsque nous sommes pris derrière un compétiteur. Nous devons ralentir quelque peu, regarder un peu plus loin devant et revenir avec un nouveau point de vue pour mieux le dépasser.

Comprendre vos patterns

Comment cela peut-il aider votre vision? C'est vraiment assez simple si vous divisez votre vie en étapes. Pour chacune, créez quatre sections.

Avant de commencer, relaxez votre corps et votre esprit. Méditez en écoutant une musique agréable. Concentrez-vous sur la paix au fond de votre cœur pour vous sentir en équilibre. Assurez-vous d'arrêter le *petit hamster* qui court dans votre tête, vous savez ce moulin à paroles qui ne cesse de vous contredire.

Divisez chaque page en quatre et nommez-les comme le modèle ci-dessous. Ensuite, commencez à écrire tout ce qui vous vient en tête dans chacune de ces étapes.

Que s'est-il passé?	Comment me suis-je senti?
Qu'ai-je fait?	Qu'y a-t-il de mieux maintenant?

QUE S'EST-IL PASSÉ?

Tout d'abord, pour comprendre le présent, il est nécessaire de se rappeler des événements du passé.

- Comment les choses sont-elles devenues aussi confuses?
- Fermez vos yeux et laissez votre esprit vagabonder dans le passé.
- Est-il arrivé quelque chose lorsque vous étiez enfant ou adolescent?
- Qu'est-il arrivé la semaine dernière, le mois dernier, l'an passé ou à un autre moment de votre vie?
- Que vous dit votre cœur?

Écoutez votre intuition, jouez le jeu et résistez à l'envie d'argumenter avec votre *moi* intérieur. Décrivez les situations qui vous ont frustré à chaque étape de votre vie. Concentrez-vous sur les faits et la réalité de façon objective à propos de ces situations pénibles. Portez votre attention seulement sur les éléments, non sur les émotions.

COMMENT ME SUIS-JE SENTI?

Il est temps maintenant de vous concentrer sur vos émotions. Décrivez votre douleur. Écrivez tout ce que vous ressentez du mieux que vous le pouvez. Creusez de plus en plus dans vos pensées, vos réflexions et votre cœur. Pleurer au cours de cette étape n'est pas un signe de faiblesse. Être en colère, ne l'est pas non plus.

Ne vous limitez pas et n'ayez pas peur de vous accepter tel que vous êtes. Laissez vos échecs dans le passé et pardonnez-vous. Ensuite, pardonnez à ceux qui vous ont blessé. Inspirez profondément et calmement. Soyez conscient de votre respiration pendant que vous vous permettez quelques minutes de tranquillité.

QU'AI-JE FAIT?

Après avoir revécu vos émotions, souvenez-vous des actions que vous avez entreprises pour résoudre vos problèmes et affronter vos échecs. Notez ce que vous avez fait sur le plan physique. Il peut s'agir de quelque chose d'aussi simple qu'une nouvelle coupe de cheveux, changer votre *look* vestimentaire ou ajouter quelque chose de nouveau à votre garde-robe. Ou il se pourrait que ce soit quelque chose d'aussi drastique que de quitter votre emploi ou votre conjoint(e).

QU' Y A-T-IL DE MIEUX MAINTENANT?

Revoyez les occasions qui se sont présentées à vous après être passé à l'action, après avoir changé votre état d'esprit, après avoir cessé de vous plaindre au sujet de la situation. Décrivez en détail les bonnes choses qui sont survenues. Incluez les merveilleuses personnes que vous avez rencontrées, vos souvenirs, les sourires que vous avez reçus après avoir vous-même souri à quelqu'un d'autre. Soyez reconnaissant des bienfaits que vous avez reçus et des leçons que vous avez apprises.

- Êtes-vous devenu une meilleure personne?
- En quoi avez-vous grandi depuis?

En prenant cet exercice au sérieux, vous devez admettre que c'était un tournant majeur, une étape importante que vous avez franchie, n'est-ce pas?

Répétez ces quatre étapes pour chacune des phases de votre vie jusqu'à ce que vous atteigniez la dernière étape, celle où vous êtes maintenant.

Cet exercice vous aidera à découvrir ce que vous devez faire par la suite! Écoutez votre cœur et écrivez ce qui vous vient à l'esprit. Vous trouverez au moins deux ou trois différents scénarios qui vous mettront au défi et qui vous apporteront une vision plus positive de l'avenir.

Mon exemple personnel

Comme je n'ai pas eu d'emploi en actuariat en 1992, après trois ans à ruminer et à vivre dans l'angoisse, c'est donc dire que j'ai perdu mon temps jusqu'en 1995 avant de décider de passer à l'action et de changer ma vie.

Ma nouvelle carrière, bien que reliée à ma première, allait dans une direction différente. J'ai construit ma nouvelle entreprise en planification financière en tant que conseillère en assurance-vie.

Croyez-moi, je ne me serais jamais imaginé travailler dans ce domaine particulier, mais ce fut le cas. Les nouveaux défis, l'horaire flexible, le fait de ne pas avoir de patron, la liberté d'être travailleuse autonome ainsi que le vide et la peine que je ressentais à ce moment-là m'ont stimulée à faire ce changement décisif, lequel était meilleur pour moi, en raison de ma personnalité et parce que j'aime rencontrer des gens.

Contrairement à mes attentes, mon changement de carrière me convenait parfaitement. En fait, les résultats ont dépassé largement tout ce que j'aurais pu espérer. En raison de ma personnalité et du fait que j'aimais rencontrer de nouvelles personnes, je trouvais énormément de satisfaction dans ma nouvelle carrière laquelle m'a ultimement menée à la planification financière.

Il m'a fallu quelques années pour me bâtir une réputation. Ma profession me donnait la liberté que je recherchais et j'étais heureuse d'aider les gens à se concentrer sur leurs buts financiers et personnels. Je suis maintenant certaine que je n'aurais jamais été satisfaite d'occuper un emploi quelconque dans le domaine de l'actuariat.

Devenir planificatrice financière et démarrer ma compagnie m'ont fait remporter énormément de succès. Je planifiais mon horaire de travail pour satisfaire mes besoins et, au départ, je travaillais trente-deux heures par semaine et je prenais quatre semaines de vacances par année. Cet horaire m'aidait à atteindre le but que je m'étais fixé et j'y étais fidèle. Après seulement trois ans, j'ai embauché un employé à temps partiel pour me préparer à prendre une semi-retraite. J'avais vingt-huit ans.

Tout le monde riait de moi parce que je pensais à prendre ma retraite de la planification financière à un aussi jeune âge. Devinez qui rit maintenant? J'ai pris une semi-retraite à l'âge de trente-six ans. J'étais suffisamment jeune pour commencer une nouvelle aventure qui allait m'amener sur une route différente.

Ma nouvelle entreprise se développe de plus en plus rapidement et prend une plus grande place sur le marché chaque jour. J'ai maintenant un partenaire actif, quelqu'un pour qui j'ai déjà été le mentor. Il est devenu un associé qui m'est cher et, ensemble, nous avons créé une compagnie prospère. C'est la beauté d'aider les gens à grandir avec vous, vous assurez votre prospérité dans un esprit de coopération plutôt que de concurrence.

De quelle manière cela est-il en lien avec vous et votre succès?

Adaptez votre situation à ce que j'ai réussi à accomplir. Pensez à ce qui vous cause de la frustration dans votre vie. Ensuite, trouvez ce qui vous rend heureux. Une fois que vous aurez franchi cette étape, vous aurez une nouvelle perspective. Maintenant, considérez les conclusions que vous pouvez tirer ou les leçons que vous pouvez apprendre de vos expériences passées et de votre situation actuelle pour vous aider à changer votre vie et à l'améliorer.

Trouver ma passion

Un de mes rêves était de visiter les États-Unis. Je suis partie de Montréal en novembre 2006 jusqu'en mars 2007, j'ai visité 21 états, j'ai fait 16 000 kilomètres, je suis passée par la Californie en revenant par la Floride.

Avez-vous remarqué que lorsque nous parlons de nos rêves, nous nous enflammons et la personne devant nous a les yeux pétillants, car nous lui transmettons notre passion, nous la faisons entrer dans notre rêve, nous lui transmettons les images qui s'y rattachent? Voilà pourquoi il est important de bien choisir les personnes qui nous entourent pour parler de nos rêves.

Vous êtes-vous déjà demandé pourquoi nous parlons toujours du passé de façon négative, des mauvaises choses qui nous sont arrivées? C'est parce que souvent nous avons un problème d'identité, car dans la société, nous ne sommes qu'un numéro. Il est important de se bâtir un nom. Lorsque nous voulons réaliser un rêve, il y a toujours une raison sous-jacente à ce désir, découvrez la raison qui vous stimule à entretenir ce rêve.

Un des rêves que je voulais réaliser était de devenir une conférencière reconnue mondialement. Je voulais parler aux jeunes dans les écoles, aux adultes également afin de les aider à se raccrocher à leur passion.

Maintenant, au moment d'écrire cette édition spéciale et cette version française en 2014, c'est ce que je fais à temps complet. Je voyage pour donner des conférences, inspirer les adultes et les jeunes, chantant toujours quelques chansons lors de mes conférences et racontant beaucoup d'histoires de mes courses de moto.

En 2008 et 2009, j'ai suivi plusieurs cours de formation dans le but de devenir conférencière, en plus d'un cours en marketing. Plusieurs me décourageaient parce qu'ils disaient que je devais choisir entre être chanteuse ou conférencière, car je ne pouvais pas jumeler les deux dans l'industrie.

Maintenant, c'est ma marque de commerce et c'est de cette façon que j'attire de plus en plus de grandes conférences, de magazines, d'entrevues radio ou télé, me retrouvant aux côtés des plus grands tels que Oprah Winfrey, Donald Trump, Zig Ziglar (décédé en novembre 2012), Adam Markel, Jamie Lee Curtis, Marcia Cross, Oscar De La Hoya, etc.

Au Québec, lors d'une émission radiophonique à Radio-Canada, j'ai pu parler directement à Janette Bertrand; elle a été une personne très influente dans ma vie et m'a permis de prendre un grand tournant des plus positifs. D'ailleurs, je raconte cette histoire au chapitre 4.

Tout cela pour dire que je suis très contente de ne pas avoir abandonné et d'avoir suivi mon instinct, souvent de façon entêtée, au grand désarroi de mes coachs.

Les gens créatifs comme moi ont souvent des idées farfelues, mais grâce à leurs idées bizarres, ce type de personnes a réalisé beaucoup d'inventions, a formé beaucoup de compagnies, a généré de grands changements ou créé des mouvements humanitaires partout dans le monde. N'hésitez pas à foncer et à vous tenir debout pour faire valoir vos idées.

Dans nos passions, il y a une énergie très forte qui est présente en nous, que ce soit Dieu, Allah, Bouddha, l'univers cosmique, l'énergie cosmique, peu importe le nom que vous lui donnez. Il faut réaliser qu'il y a une force plus grande que nous et qu'elle est là pour nous aider. Elle nous inspire à devenir plus fort, à réaliser nos rêves et nos passions.

Dans votre vie, il est important de trouver votre passion, qu'une étincelle allume votre cœur et de vous répéter que vous êtes un gagnant. Si vous n'avez pas de trophées, de médailles, affichez des photos telles que :

- le moment où vous avez remporté un concours;
- le jour où vous vous êtes procuré la maison de vos rêves;
- du voyage que vous voulez faire depuis longtemps;
- du conjoint(e) qui fera partie de votre vie;

- de la fortune que vous désirez bâtir;
- et tant d'autres.

Pensez au plus grand rêve que vous désirez réaliser. Entourez-vous de gagnants.

Fermez vos yeux, trouvez en vous ce que vous désirez le plus, entrez dans votre rêve le plus précieux et ressentez la sensation de le réaliser. Même si d'autres vous découragent, il faut que vous continuiez. Ne vous laissez pas influencer par des pensées ou des personnes négatives en ce qui a trait à vos réalisations. Parlez-en seulement à ceux et celles qui vous encouragent et qui vous aident à atteindre vos buts, vos objectifs.

Lorsque vous croyez en vous, vous trouvez votre passion et vous arrivez à surmonter vos peurs. N'oubliez pas que notre pire ennemi loge au fond de nous. Apprenez à vous faire confiance, à croire en vous et, malgré les embûches, continuez à aller de l'avant.

Sans aucun détour

Passion je t'avais mis à clé
Cœur je t'avais enfermé
Si seulement j'avais pensé
Qu'un jour tu me serais apparu
Pour venir faire rebondir
Mes rêves qui pensaient dormir sans s'éveiller.

Pourquoi avoir arrêté mon chemin?
Pourquoi me donner l'espoir
Afin de l'en refermer à nouveau
Le réveil a été sec.

Je n'ai point su te dire
Ce qui m'empêchait de rire
Tu n'as fait qu'effleurer mes sens
Sans pour autant me dévoiler toute l'essence.
Le cœur ne comprend point
Ce que tu es venu faire au matin.

Je dois poursuivre mes jours
Sans aucun détour.

Monique Lavoie

ÉQUILIBREZ VOTRE ÉNERGIE

Tout dans la vie est énergie et l'énergie est tout dans la vie!

Elle existe sous différentes formes, soit physique, émotionnelle et spirituelle. J'ai découvert ces domaines vers l'âge de vingt-neuf ans. Par la suite, j'ai rencontré des spécialistes qui travaillaient dans différents domaines reliés à l'énergie : des maîtres reiki, des chamans et ceux qui sont des adeptes de la biologie totale, de la polarité, de la naturopathie, de l'analyse de sang vivant et ainsi de suite. Puisqu'il n'y a pas de titre collectif pouvant leur convenir, je qualifiais chacun soit mon conseiller ou ma conseillère en énergie.

Un jour, alors que j'étais assise dans le bureau de ma conseillère en énergie lors d'une séance de méditation et de polarité avec l'antenne de Lecher (qui mesure les fréquences et les longueurs d'onde), elle m'a incitée à évaluer ma vie et à redéfinir mes buts. Ma résistance était aussi forte que sa persévérance. Puis, elle m'a demandé :

- Nadine, qu'est-ce que tu veux réellement dans ta vie?

- En ce moment, je suis tellement de mauvaise humeur et vraiment écœurée de tout. Depuis 2004, il me semble que tout s'écroule autour de moi. J'ai acheté une entreprise en espérant faire de l'argent. J'en ai plutôt perdu même si je travaillais plus fort que je ne l'avais jamais fait dans ma vie. En plus, j'ai été malade durant six semaines d'affilée. Je sais ce que j'aimerais vivre dans ma vie. Plus que tout, je sais ce que je ne veux pas. Je me sens prisonnière et je ne sais pas comment m'en sortir.

- Si c'est le cas, pourquoi continues-tu à vivre ta vie de cette façon?

- Je n'ai pas le choix. J'ai une auto, une maison et plusieurs autres choses que je dois payer. Je possède tout cela, et je devrais être heureuse, mais je ne le suis pas. Je n'aime plus mon travail et je suis rendue à un point où j'ai l'impression d'avoir fait une énorme erreur.

- Tu sais, Nadine, qu'il n'y a pas d'erreurs dans la vie. Pourquoi n'arrives-tu pas à y croire?

- Je ne sais pas. Je sais que rien n'arrive pour rien, mais je suis si fatiguée de tout et j'aimerais prendre des vacances. Mais pour faire cela, il faudrait que je vende ma maison et mon auto. Je veux déménager dans le Sud de la Californie pour y travailler et y vivre, mais ça ne semble pas réaliste.

- Pourquoi ne le fais-tu pas?

- Parce que je ne peux pas! Je possède une maison, une auto, un duplex, une compagnie, etc. Je ne peux pas partir comme cela. Ce n'est pas si simple que cela de faire sa valise et partir!

- Pourquoi pas?

Elle continuait à me poser toujours la même question : pourquoi pas?

Je me suis mise en colère, puis j'ai quitté la séance parce qu'elle m'exaspérait à un point tel que je ne pouvais plus l'endurer. Je ne comprenais pas le but de sa question et, en même temps, elle ne répondait pas aux miennes. L'idée qu'elle tentait de me faire assimiler était que j'avais besoin de tirer mes propres conclusions. J'avais besoin de comprendre que j'avais entre les mains le *pouvoir* de changer les circonstances de ma vie.

Quelques mois plus tard, après plusieurs séances de méditation, j'ai reconnu des possibilités que je n'avais pas perçues auparavant. Ensuite, je me suis retrouvée en train de vouloir réaliser mon rêve d'aller vivre en Californie.

Une séance pour découvrir mes buts et mes rêves

J'ai rencontré plusieurs conseillers et coachs de vie – personnels, professionnels et spirituels. Je dois admettre qu'ils m'ont tous aidée à imaginer ma vie sous une nouvelle perspective.

Avant 1999, je ne croyais pas en ce genre de choses. Après toutes ces consultations, j'ai apporté beaucoup de changements en moi et autour de moi. J'ai même reconsidéré mes amitiés et les amis qui sont restés avec moi sont ceux qui m'ont aidée à développer un état d'esprit plus positif et à être plus heureuse. J'ai pris également conscience que tout est énergie, que ce soit en nous et autour de nous. Le bonheur et la joie que je cherchais depuis si longtemps régnaient soudainement en moi.

Tout comme je l'ai fait, vous devez éliminer les éléments négatifs qui font partie de votre vie, qu'il s'agisse de gens, d'endroits ou de biens matériels. Oui, certains amis doivent partir – certains partenaires et amoureux doivent disparaître pour de bon – lorsque vous cherchez à retrouver votre véritable énergie et que vous désirez emprunter le chemin de votre réalisation personnelle et de vos rêves.

Récemment, des scientifiques ont découvert que si les êtres humains canalisaient leur énergie, ils pourraient réussir de manière incroyable dans la vie et ils seraient plus en mesure de profiter de grands résultats. Quelles soient physiques, mentales ou spirituelles, ces énergies puissantes nous stimulent à aller de l'avant.

Reconnaître les énergies

Lorsque vous vous trouvez dans un endroit public ou que vous rencontrez quelqu'un, avez-vous déjà ressenti un sentiment bizarre qui chamboulait votre énergie ou qui vous créait un malaise? Il n'y a pas de doute que ce passant ou cette personne que vous rencontrez n'est pas sur la même longueur d'onde que vous. L'énergie de cet individu n'est pas compatible avec la vôtre.

Par contre, vous pourriez marcher dans un parc, un centre commercial ou tout autre endroit public et parler à un étranger. La conversation s'anime et la communication est facile. Pourquoi? Parce que vos énergies sont bien synchronisées. Vous faites une promenade, vous vaquez à vos occupations et vous pouvez ressentir le regard intense de quelqu'un. Un tel regard peut vous troubler ou il peut avoir l'effet contraire parce que vous ressentez de bonnes vibrations. Cette transmission d'énergie non verbale peut être très puissante.

Durant ma carrière de course à moto, j'ai eu plusieurs accidents, tels que quatre commotions cérébrales, une fracture de la clavicule et beaucoup d'autres collisions mineures, mais sans conséquences graves. Lorsque vous expérimentez de tels accidents comme ceux-ci, votre énergie est très perturbée. Heureusement, une seule des commotions cérébrales a été très grave. J'ai perdu deux semaines de ma vie, ayant perdu ma mémoire à court terme. Lorsque vous êtes victime d'accidents, votre énergie se déséquilibre.

Il est très important pour moi d'être en bonne forme physique et que mon niveau d'énergie soit élevé; voilà pourquoi je consulte des personnes spécialisées pour m'aider à me recentrer, me réorganiser et équilibrer mon énergie afin de réapprendre à la conserver. Je compare cela à un examen médical préventif qui cible un endroit ayant besoin d'aide, ce me permet d'éloigner les maladies. Vous ne pouvez pas vous permettre d'être dans un état de stagnation. Si vous le faites, vous pourriez devenir suffisant, vous apitoyer sur votre sort et être incapable de transformer votre vie. Mes *conseillères en énergie* sont devenues des personnes très précieuses pour moi parce qu'elles m'aident à éviter ces pièges.

Rencontre avec ma conseillère en énergie

Au cours d'une autre séance, ma conseillère en énergie m'a demandé :

- Mon Dieu, Nadine! Depuis combien de temps souffres-tu de problèmes intestinaux? Ce problème pourrait se transformer en maladie de Crohn si tu ne t'en occupes pas dès maintenant.

- Depuis l'âge de 16 ans, ce problème me cause des crises d'hémorroïdes. Je n'ai jamais pu trouver de solution sur le plan médical pour soulager ma douleur, j'ai accepté mon sort.

- Tu dois immédiatement le régler. Il trouble ton énergie de manière très négative et il pourrait devenir extrêmement grave. Toutefois, tu as le *pouvoir* de le changer.

Au début, je ne croyais pas ce qu'elle me disait, mais en m'exerçant à réaligner mon énergie, j'ai découvert qu'elle avait raison. Pour une mathématicienne et une partisane de la philosophie de Descartes (philosophie basée sur le doute), je trouvais difficile de croire qu'elle ait mis le doigt sur mes problèmes de santé en un si court laps de temps.

J'ai consulté immédiatement un médecin dont le diagnostic a été de me prescrire des pilules que je n'ai jamais achetées. Heureusement, mon naturopathe a été en mesure de régler mes problèmes de santé. Je suis retournée voir ma *conseillère en énergie* sans lui parler de ma visite chez le médecin ni du naturopathe. Elle a tout de suite remarqué un changement.

- Oh! Je vois que tu as travaillé sur tes problèmes de santé. Je peux sentir que ton énergie est revenue à un niveau acceptable.

- Oui, et aujourd'hui je me sens beaucoup mieux. Merci pour l'avertissement.

Mes rencontres avec elle sont devenues des mesures préventives contre la maladie et des moyens de sensibilisation pour éviter d'être malade pour le reste de ma vie.

Lorsque vous êtes malade, l'énergie vitale de votre corps se trouve à son plus bas niveau. Par la suite, vous devenez incapable de produire une énergie constructive. C'est une bonne chose de vous analyser et de découvrir ce qui est affaibli en vous ou qui ne fonctionne pas tout autant que ce qui est fort et sain.

Toutefois, n'allez pas croire qu'il s'agit d'une nouvelle découverte. Les Égyptiens et les Mayas savaient comment élever leur énergie à des niveaux encore plus importants. Les Chinois, les Amérindiens et plusieurs autres peuples ont développé la transcendance des énergies et ils l'utilisent encore.

Il y a plusieurs références sur le sujet sur Internet, dans différents livres, sur CD et DVD ainsi qu'à d'autres endroits.

De nos jours, plusieurs personnes se proclament gourous, mais rendez-vous service en ouvrant votre esprit et en faisant vos propres recherches. Les possibilités sont infinies et l'une d'entre elles pourrait vous empêcher de souffrir d'une maladie grave. Faites vos recherches et décidez ce qui est bon pour vous.

Il y a des siècles, on croyait que la terre était plate. Christophe Colomb avait un rêve, une théorie et il avait décidé de prouver la vérité. Il a outrepassé les limites, il a puisé dans son énergie, il a accepté la possibilité d'avoir tort et il a défié la croyance conciente des masses. Aujourd'hui, nous savons qu'il avait raison et son nom est passé à l'histoire comme étant le découvreur de l'Amérique.

Notre énergie nous permet de nous élever, elle nous incite à aller plus loin et à poursuivre nos buts et nos rêves. Elle est reliée également à la conception de toutes nos pensées. Il est de notre responsabilité d'entretenir et protéger notre énergie personnelle, celle qui nous entoure et celle de notre planète.

Travailler sur mon énergie m'a permis de réaliser mes rêves

Sur la carte, j'ai indiqué le parcours que j'ai choisi d'accomplir et les vingt et un états des États-Unis que j'ai visités.

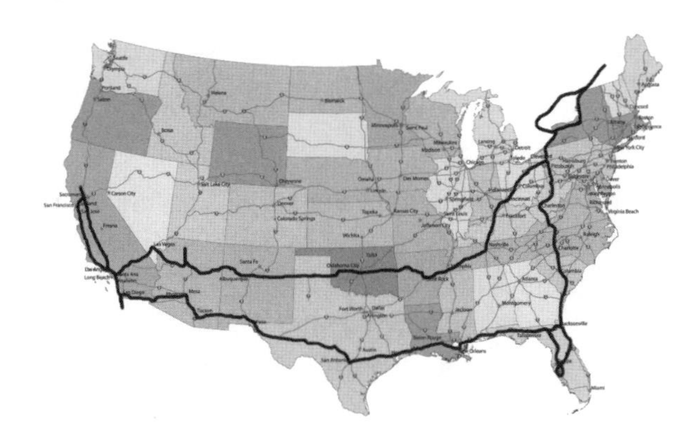

Mes seuls compagnons étaient ma moto de rue, ma moto de course, mon portable et ma détermination.

J'étais déterminée, excitée et passionnée par le fait d'accéder à mon but.

Je suis pilote de moto de réputation internationale et je compétitionne au Canada et aux États-Unis. Un jour, je voulais faire de la course en Europe, mais ce n'est pas arrivé. Au début de ma carrière, j'ai compétitionné avec des femmes.

Ensuite, j'ai gagné un championnat féminin en Ontario et j'ai terminé parmi les trois premières à la *Women's Cup Challenge* du Canada.

Je me suis aussi classée troisième à Daytona contre 75 hommes qui participaient dans ma catégorie lors de ce week-end et j'ai fini neuvième dans l'ensemble au championnat national avec WERA, l'une des plus importantes organisations de compétition en circuit routier aux États-Unis.

Durant ma jeunesse, j'ai joué au volleyball jusqu'à ce que j'atteigne le niveau national canadien.

Je suis également musicienne; je joue du piano depuis l'âge de cinq ans. Je joue aussi de la guitare et j'ai composé des chansons.

En 2002, j'ai enregistré ma propre démo. Mais la course est ma passion maintenant, c'est devenu une partie très importante de ma vie.

Comme plusieurs d'entre vous, j'ai toujours eu plusieurs passions pour continuer à progresser. La passion et les rêves sont les clés pour surmonter plusieurs des défis de la vie. Par exemple, j'ai décidé de changer les circonstances négatives de ma vie en 1995 et je suis devenue planificatrice financière. Après quelques années de persévérance acharnée, j'ai réussi en tant que femme d'affaires. En ce moment, je possède quatre entreprises, y compris la compagnie d'investissement en immobilier que j'ai fondée en 2008 aux États-Unis, dès le début de la crise financière. Je voulais créer ma richesse et augmenter mon revenu passif.

Lorsque je parle de suivre la piste de course vers vos rêves, je sais de quoi je parle. J'ai réalisé plusieurs de mes rêves en allant sur cette piste et en pilotant dans leur direction.

Plusieurs personnes disaient que j'étais folle, que j'avais perdu la tête et que je ne réussirais jamais comme pilote de moto parce que j'avais trente-quatre ans et que j'étais trop vieille. Malgré tout, je me suis rendue au championnat national aux États-Unis parce que j'étais prête à faire les sacrifices nécessaires pour atteindre mon but.

Je parle de vivre à 300 kilomètres à l'heure parce que c'est la vitesse la plus rapide que j'ai atteinte sur la piste de course. Mais littéralement, je vis vraiment ma vie à cette vitesse.

Mon intention est de vous inspirer à VOUS DONNER DU *POUVOIR* et vous faire découvrir votre propre potentiel afin que vous aussi viviez votre vie à 300 kilomètres à l'heure. Dans la société d'aujourd'hui, plusieurs ont tendance à manquer de rigueur, sont passifs et manquent de motivation pour croire qu'ils peuvent faire quelque chose en vue de réaliser leurs rêves. Je suis une personne d'action et j'espère vous inciter à croire suffisamment en vous afin d'entreprendre les actions nécessaires pour être sur la bonne voie et accomplir vos rêves tout comme je l'ai fait avec les miens.

J'ai commencé à donner des ateliers de coaching parce que jusqu'à ce que j'atteigne l'âge de vingt-cinq ans, j'étais une personne très négative. Je ressentais toujours un vide et je me sentais découragée en dépit du fait que j'étais une bonne élève et une musicienne talentueuse. J'étais bonne aussi dans les sports.

Aujourd'hui, j'essaie d'éliminer toute trace de négativité, vous aussi pouvez faire la même chose! Si vous avez confiance en vous et ouvrez votre esprit et votre cœur, vous vous débarrasserez de votre négativité. Vous aurez ainsi une perspective plus positive et vous mènerez une vie passionnante. Les choses que nous désirons le plus dans la vie sont ce qui nous rend heureux. En nous fixant des buts, nous n'aurons plus le temps de ressentir le vide ni d'être négatif.

Bien entendu, nos buts changent avec la maturité.

Lorsque j'allais à l'école, ce qui dissipait ma tristesse, c'était le volleyball. On me disait que je ne réussirais jamais dans ce sport au collège parce que j'étais trop petite, je ne mesure que 1m55. Je n'ai pas laissé l'énergie négative des autres m'empêcher de jouer.

Non seulement me suis-je rendue au championnat canadien, mais j'ai terminé en neuvième place. J'ai même joué contre les Olympiennes Guylaine Dumont et Annie Martin qui l'ont emporté haut la main. Qu'est-ce que ça pouvait bien faire? C'était une expérience qui n'arrive qu'une seule fois dans une vie, un moment incroyable que je n'aurais jamais vécu si j'avais laissé ces personnes m'influencer et si je n'avais pas maintenu une attitude positive.

Trois autres de mes amies dans cette ligue sont allées aux Olympiques. N'eussent été de mes cinq blessures au genou droit peut-être aurais-je pu y aller aussi? Pouvez-vous imaginer à quel point j'ai eu du chagrin de voir mes collègues à la télévision, n'ayant pas eu moi-même cette chance?

J'ai toujours été chagrinée par ma petite taille, mais même en étant si près du but, les cinq blessures à mon genou droit ont vraiment anéanti tous mes espoirs! J'en ai pleuré des jours et des nuits durant des mois. Encore aujourd'hui, je joue un peu pour le plaisir, mais mon cœur se serre et s'attriste parce que je ne peux plus faire de tournois ou jouer au même niveau d'élite.

Je ne vous révèle pas tout cela pour me vanter. Je le partage avec vous parce qu'il est important que vous trouviez quelque chose qui attise votre passion, quelque chose qui vous permettra de continuer à poursuivre n'importe quel but que vous vous fixerez. Découvrez ce qui vous fait vraiment vibrer pour devenir déterminé à vous engager dans la course et à gagner. Ne laissez rien ni personne vous éloigner de votre but. Si vous le faites, votre rêve s'éteindra comme la flamme d'une chandelle.

Exercice :

Accordez-vous un moment pour réfléchir à vos buts potentiels. Quelle est votre véritable passion? Dans un cartable ou dans votre journal personnel, écrivez tout ce qui vous vient à l'esprit. Continuez… cherchez plus loin et encore plus loin dans vos pensées, dans votre cœur, dans votre âme, cherchez et trouvez tout ce que vous désirez. Vous détenez la réponse en vous.

Lisez votre liste à haute voix.

- Êtes-vous suffisamment engagé envers vous-même pour faire ce qui est nécessaire afin d'atteindre vos buts?
- Êtes-vous suffisamment engagé pour rester motivé?
- Voulez-vous vraiment gagner la course de votre vie?

Le podium

Gagnez la course de votre vie et recevez votre trophée

Lorsque je suis déprimée,

je me raccroche aux trophées que j'ai gagnés en me rappelant

QUE JE SUIS UNE GAGNANTE!

- Photo par Jeepy Photo

Me voici dans la photo ci-dessus avec tous les trophées que j'ai gagnés en 2005. Pourquoi ai-je inclus cette photo? Je crois qu'il s'agit d'une bonne façon de nourrir mon subconscient. À la maison, mes trophées sont exposés partout. Pourquoi? Pour me rappeler que je suis une gagnante.

Je vous encourage à faire la même chose. Si vous n'avez pas de trophées ou de médailles à la maison, allez dans un magasin spécialisé et achetez-en. Achetez-vous-en un, remettez-en à vos enfants, à des membres de votre famille, à vos employés et/ou vos collègues au travail. Faites graver sur chaque trophée le plus grand rêve de chacun, faites-en un jeu et remarquez la belle énergie positive que vous ferez circuler dans votre vie et celle des autres.

Une autre façon est de prendre et d'exposer des photos de vos réalisations.

Si vous êtes pêcheur, trouvez une photo du plus gros poisson que vous ayez jamais pêché, faites-la encadrer ou laminer dans le plus grand format possible et placez-la bien en vue. Le fait qu'elle sera bien visible vous rappellera constamment l'une de vos plus grandes réalisations.

Concentrez-vous sur le fait que vous êtes un gagnant. Une mentalité positive triomphera toujours du pire ennemi qui vous empêche de réaliser vos rêves, *vous-même*! Lorsque vous vous percevrez comme un gagnant, vous irez de l'avant à un rythme beaucoup plus rapide. Regardez droit devant et fixez la ligne d'arrivée.

Mon amie Monique Lavoie sait comment on se sent lorsque l'on réussit. Son exubérance ressort dans ses écrits :

Victoire! Victoire! Tu es si merveilleuse! Je t'apprécie!
J'ai finalement atteint mes buts, mes rêves.
Tu es ma passion, mon rêve.

Nous avons besoin de faire un voyage intérieur pour connaître
la personne que nous sommes et celle que nous voulons être.
Nous devons être le maître de nos pensées,
nous devons être positifs et avoir confiance en nos défis.
Nos échecs sont des leçons que nous apprenons
pour nous élever dans la vie.
Nous devons aussi maintenir

notre niveau d'énergie à son maximum.
N'ayons pas peur de visualiser nos pensées,
de les transformer en réalité et
de nous entourer de gens qui peuvent nous aider à réussir.
La plus importante victoire que nous pouvons remporter est
celle d'être heureux et satisfaits de nous-mêmes.
Nous pouvons découvrir notre propre pouvoir en méditant.
Faisons place à la musique et à toute autre forme d'art
qui représente la personne que nous sommes
et partageons-la ensuite avec les autres.

Si nous nous préparons pour chaque course de notre vie,
nous atteindrons finalement le drapeau à damier.
Finir premier, deuxième, troisième ou
l'endroit où l'on se trouve n'a vraiment aucune importance.
Ce qui importe, c'est de faire tous les efforts possibles et
tous les sacrifices requis pour monter sur le podium.
C'est à ce moment-là que nous aurons gagné.

- Monique Lavoie

3

LA COURSE DE VOTRE VIE

La méditation du motocycliste

Je vous propose ci-après un exercice de relaxation et de visualisation.

Si vous désirez imaginer votre vie du point de vue d'un pilote de moto, vous devez tout d'abord vous diriger vers la piste de course.

Afin de vous aider à faire cette visualisation, j'ai conçu une bande sonore qui vous assistera dans votre rôle de pilote de moto. Elle est offerte au www.nadineracing.com. Plusieurs personnes préfèrent les fichiers audio aux fichiers visuels, alors je vous propose les deux types pour que vous puissiez choisir celui qui fonctionne le mieux pour vous.

En écoutant (ou en lisant), vous sentirez que vous vous DONNEZ DU *POUVOIR* et ainsi vous serez prêt à passer à l'action vers la réalisation de vos rêves.

Dirigez-vous sur la piste de la vie et pilotez comme un motocycliste et/ou écoutez la version audio offerte gratuitement sur mon site Internet (http://www.keepdreamingkeepliving.org/pages/racingsystem).

1. Écoutez le CD audio ou la version MP3.

2. Poursuivez l'écoute et visualisez-vous au volant d'une moto en train d'emballer votre moteur et de vous concentrer sur la course.

Plusieurs personnes sont plus visuelles qu'auditives, voilà la raison pour laquelle je vous offre les deux versions.

Faites jouer une musique énergisante et assoyez-vous dans un endroit où vous vous sentez à l'aise.

Je suggère que vous trouviez un fauteuil confortable dans une pièce tranquille et, durant vingt minutes, profitez de chaque moment de cet exercice de relaxation.

Utilisez ce temps pour visualiser la direction que vous désirez prendre dans votre vie. Vous voudrez peut-être écouter une douce musique de fond ou peut-être quelque chose de plus puissant et dynamique pour vous plonger dans vos pensées.

Imaginez que vous êtes prêt à faire la course la plus importante de votre vie. Vous êtes sur la piste, vous préparez votre moto en vue de vivre l'expérience la plus formidable de votre vie. Maintenant, faites le rapprochement entre cette préparation et votre corps physique.

Vous vérifiez que toutes les pièces de votre moto sont en bon état en inspectant chacune d'elles, deux fois.

La moto représente votre corps physique. Vous vous préparez à manger sainement et à faire de l'exercice. Vous vérifiez si tout est en ordre. Les pneus, les freins, le volant, chaque partie de votre moto est importante parce que si vous oubliez un seul détail ou une seule pièce, vous pouvez perdre la course. Vous devez suivre la même procédure lorsqu'il s'agit d'examiner votre corps physique.

Vous devez en prendre soin en dormant bien, mangeant sainement et en vous entourant d'amis affectueux pour maintenir votre énergie à un niveau élevé. Pour gagner la course, vous devez être au meilleur de votre forme. Si vous ne l'êtes pas, vous pourriez non seulement échouer, mais vous pourriez mourir. Vivez le moment présent en tout temps, mais vivez-le en étant très prudent et en étant le mieux préparé possible.

Sentez la vibration du moteur et de votre cœur. Prenez grand plaisir à baigner dans cette ambiance, cette atmosphère vous permettant d'arriver à un sommet d'anticipation et de réalisation. Écoutez les clameurs de la foule, les gens sont debout, ils vous applaudissent, ils vous regardent.

L'adrénaline monte dans vos veines, elle se répand telle une danse frénétique qui fait battre votre cœur au rythme de milliers de tambours. La course est sur le point de commencer. Concentrez-vous sur la ligne d'arrivée et pilotez votre moto avec assurance votre moto sur la piste vous menant à la réalisation de vos rêves.

Votre moto est prête, enfourchez-la, votre corps l'est, sentez l'ambiance, l'atmosphère est à son plus haut point et dans les estrades, il y a une foule qui surveille vos moindres gestes.

Vous avancez à la barrière de départ. Vous n'aurez droit qu'à un seul tour d'essai pour vous préparer, vous habituer à la surface du sol, vous réchauffer, tester les pneus et exploiter vos capacités mentales.

Maintenant, vous êtes tout excité de savoir que le tour d'essai est sur le point de commencer . Assurez-vous d'être à l'aise, de sentir votre énergie, d'avoir assez d'adrénaline pour réaliser votre rêve, pour gagner la course de votre vie, mais surtout pour atteindre le but de votre vie. Vous êtes maintenant prêt à commencer votre tour d'essai. Tous les pilotes débordent d'énergie parce que chacun veut atteindre la ligne d'arrivée en premier. Ce tour d'essai doit refléter votre style de vie.

- Vous vous exercez à vous réchauffer.
- Vous vous exercez à obtenir ce que vous voulez de la vie.
- Vous vous exercez à accomplir votre travail.
- Vous vous exercez à vivre une nouvelle expérience de vie.

Après votre tour d'essai, vous avancez à la ligne de départ, prêt pour la course. Vous êtes fébrile, vous commencez à ressentir l'excitation. Concentrez-vous. Soyez prêt pour le signal de départ. Surveillez le feu vert. Adoptez une position confortable et concentrez-vous sur ce que vous avez à faire. Rien d'autre ne compte.

Tout comme un pilote qui se prépare pour une course, vous vous réchauffez, vous vous exercez à avoir le style de vie dont vous rêvez. Après avoir fait votre tour d'essai sur la piste, vous êtes prêt à entreprendre la vraie course. Comme il y a encore plus d'adrénaline qui monte dans vos veines, vous voyez le feu rouge. Vous êtes assis sans bouger à mesure que l'anxiété s'installe en vous, vous gardant sur les nerfs encore un peu plus longtemps… Vous voyez le feu rouge à nouveau et ensuite… le feu vert apparaît! Vous partez sur le coup, vous accélérez de plus en plus et vous n'avez qu'une seule idée en tête : gagner cette course!

Souvenez-vous que la vie est semblable à une piste de course. Il y aura toujours d'autres pilotes autour de vous. Certains d'entre eux seront vos compétiteurs et d'autres vous feront sortir de la piste. Vous devez être conscient du danger; si vous ne l'êtes pas, les résultats peuvent être désastreux. Les autres vont jouer du coude avec vous, vous devez conserver votre place, vous devez être prudent, tout en conservant votre place.

Attention : vous devez conserver votre place. Vous approchez du premier virage et il y a au moins une trentaine d'autres pilotes autour de vous, l'un d'entre eux essaie peut-être de vous faire sortir de la piste, intentionnellement ou pas. Si vous gardez le contrôle de votre moto, vous resterez dans la course. La vie suit le même scénario.

Certaines personnes feront tout ce qu'il faut pour anéantir vos rêves. Ils vont essayer de vous décourager en insistant sur le fait que vous n'y arriverez jamais. Vous ne devez pas les écouter. Vous devez continuer et rester sur la piste, en suivant votre plan et en restant dans la course. Vous vous êtes inscrit dans la course pour gagner et cette place vaut la peine de vous battre pour l'obtenir. Dans la vie, c'est la même chose. Il y a des gens qui vont essayer de vous décourager, de vous dire que votre rêve n'a pas de sens, que vous n'y arriverez pas, mais continuez, décidez de demeurer sur la piste et de garder votre place.

Maintenant, vous voyez le deuxième tournant et certains de vos adversaires ont décroché. La distance entre vous et les autres pilotes augmente. Vous êtes dans votre voie et vous êtes maître de votre véhicule. Vous menez votre propre vie. Vous accomplissez vos rêves. Vous réalisez que vous en avez laissé plusieurs derrière vous, mais vous avez réussi à en concrétiser certains à votre rythme. Ces rêves sont investis de la même intensité, du même dynamisme et du même désir de gagner. Il y en a même quelques-uns qui vous devancent.

Le troisième tournant se présente à vous. Maintenez la même vitesse et restez concentré. Faites attention de ne pas aller trop vite ou vous pourriez entrer en collision. À mesure que vous approchez du quatrième tournant, vous ressentez une autre poussée d'adrénaline. Ça sent presque la victoire. Vous êtes dans la bonne voie et il est temps d'accélérer… à toute vitesse! Votre vie est magnifique parce que vous avez choisi la course que vous vouliez faire. Vous prenez toutes les bonnes décisions et vous dépassez vos compétiteurs.

Il sera peut-être nécessaire de vous installer dans une position confortable sur la moto pour profiter de toutes les opportunités, tout comme vous devrez peut-être faire un détour dans votre vie afin d'emprunter le bon chemin qui vous mènera vers la destination de votre choix.

Vous devrez toujours faire face à des difficultés et vous devrez user de patience pour les surmonter. Sur la piste, il n'est pas toujours possible de faire vrombir votre moteur et d'être encore en sécurité. Parfois, vous devez vous détendre et chercher l'ouverture qui vous permettra de prendre de l'avance par rapport aux autres. Vous aurez besoin d'endurance pour persévérer.

Vous devrez être un ardent défenseur de votre cause pour prendre les bonnes décisions et construire votre vie afin d'atteindre vos rêves. Une fois que vous réaliserez que vous avez la force, la confiance et la détermination pour combler vos désirs, vous devrez sortir de votre zone de confort. Ayez l'esprit ouvert à toutes les possibilités, surmontez vos peurs, projetez-vous encore plus loin dans l'avenir. Une fois que vous aurez réalisé votre mission, osez viser un nouveau but.

Encore et encore, la vie se répète jour après jour, tout comme une course; vous faites un tour après l'autre, essayant de vous améliorer chaque fois et ne pas répéter les mêmes erreurs.

Après le premier tournant, vous continuez votre course, il y a un peu moins de trafic au deuxième virage et il continue à diminuer parce que vous vous distancez de vos compétiteurs, vous restez dans votre voie, votre vie et vous êtes habité par votre rêve. Vous réalisez que vous vous distancez de plus en plus des autres. Quelques-uns sont encore avec vous, d'autres sont en avant ou à côté de vous.

Vous continuez, troisième virage, quatrième virage. Oups! Après le quatrième virage, vous êtes dans la voie de droite, vous avancez le plus vite possible.

Votre vie va très bien, vous accélérez, vous prenez des décisions, vous avancez vers la réalisation de votre rêve, vous assistez à des séminaires, suivez des cours, lisez des livres pour poursuivre votre éducation afin de vous permettre d'aller plus vite dans votre vie. Vous êtes toujours dans la voie de droite, mais à la fin de la voie, vous devez mettre les freins de pied ferme, et cela, en gardant le contrôle. Vous avez besoin de relaxer, de prendre des vacances.

Vous accélérez à fond juste avant d'atteindre le prochain tournant afin de demeurer dans la bonne voie, de suivre la bonne direction vers votre but. Parfois, nous devons faire des ajustements avec nos buts, d'autres fois faire des détours. Nous avons besoin de continuer d'être habité par notre rêve et de le poursuivre peut-être d'une façon inattendue.

Vous devez être très solide pour prendre une grosse décision dans votre vie, celle de modifier votre façon d'atteindre votre rêve. Vous en avez la force, la confiance, vous vous étirez pour l'atteindre et vous continuez sur la piste de votre vie. Vous restez concentré, car une seule erreur pourrait vous coûter la vie.

Vous êtes là, vous êtes joyeux, vous dansez avec votre moto et vous pensez que tout va bien, mais soudainement, sans vous y attendre... il y a une autre moto qui fonce sur vous, par erreur. Dans la vie, cela peut être un divorce, des problèmes familiaux, une faillite, une querelle avec des amis, un conjoint qui demande une séparation, la maladie et bien d'autres circonstances. Lorsque vous pensez détenir le contrôle de votre vie, parfois quelque chose survient, mais ne vous laissez pas abattre, relevez-vous, reprenez votre moto, réparez-la et continuez.

Dans la vie, ces circonstances signifient de prendre soin de vous, de votre santé physique, mentale, spirituelle et émotionnelle.

Reconnectez-vous et continuez de travailler à réaliser votre rêve. Votre moto est là, vous vous assoyez, mais vous sentez que vous manquez de confiance, vous êtes intimidé, vous recommencez, mais plus lentement, avec plus d'assurance; la vie redevient meilleure, vous excellez de plus en plus dans les courbes, vous êtes sur la piste et vous reprenez de la vitesse. La vie redevient source.

Parfois, pour ne pas dire la plupart du temps, vos défis vous incitent à devenir une meilleure personne, un meilleur dirigeant d'entreprise, un meilleur parent, un meilleur conjoint. Ces défis vous préparent à mener une meilleure vie et, maintenant, vous êtes prêt à aller plus vite, à penser plus grand, à régler plus facilement les problèmes qui se présentent à vous.

Vous avez gagné la course. Vous avez le contrôle de votre moto et de votre vitesse. Vous avez gagné du terrain et c'est ce qui vous amènera vers la victoire; vous êtes heureux, vous dansez avec votre moto. La vie est aussi douce qu'une mer calme et vous pensez que tout va bien sur la piste.

Soudainement, une autre moto fonce sur vous et vous êtes surpris par cette manœuvre inattendue. C'est là que réside l'un des dangers de la vie. Il peut se présenter sous différentes formes : divorce, problèmes de santé, problèmes familiaux, abus, difficultés financières, disputes avec des amis, tricherie, abandon, perte d'êtres chers ou de partenaires de vie. Ces embûches se présentent lorsque l'on s'y attend le moins, habituellement juste au moment où nous pensons avoir le contrôle de notre vie.

Bien que de tels événements puissent détruire vos espoirs et vous décourager, vous ne devez pas abandonner. Vous êtes rendu trop loin sur la piste pour abandonner votre parcours. Continuez à poursuivre vos rêves. Un mauvais virage ne signifie pas qu'une autre route ne vous mènera pas vers votre destination. Voyez-le comme un détour, mais il se peut que ce soit celui qui vous amènera vers une meilleure route. Relevez-vous, dirigez-vous avec aplomb vers la ligne de départ et visez la victoire.

Vous êtes le pilote et vous êtes responsable de votre vie. Réparez tout dommage causé à votre moto. Les dommages légers peuvent facilement être réparés avec un peu de peinture et du polissage. Les dommages plus sérieux peuvent exiger un peu plus de temps, mais souvenez-vous que vous êtes maintenant équipé des outils dont vous avez besoin.

Utilisez cette analogie pour comparer votre moto à votre corps. Cela veut dire de prendre soin de vous sur le plan physique, émotionnel et spirituel. Vous ne devez absolument pas manquer de confiance en vous ni d'être embarrassé par des événements récents. N'ayez pas peur de recommencer. Vous avez fait une mise au point alors, retournez dans la course. Établissez à nouveau la connexion avec la personne que vous êtes et ce que vous voulez être dans la vie. Continuez à bâtir vos rêves.

Retournez sur la piste et laissez-vous porter par le vent. Ressentez l'adrénaline qui monte dans vos veines encore une fois. À mesure que vous vous remémorez votre dernière course, souvenez-vous de ce que vous avez ressenti en ayant le contrôle de votre propre destin. Vous avez pris un ou deux détours, mais rappelez-vous les leçons que vous avez apprises de vos erreurs ou les obstacles que vous avez rencontrés sur votre route. Utilisez-les comme de nouveaux outils pour vous aider à mieux juger et évaluer les choses. Visez vos buts et poursuivez vos rêves une fois de plus. La vie est palpitante à nouveau!

À titre de rappel, vous trouverez d'autres pilotes sur la route de votre vie qui vont aussi négocier les virages de la piste que vous utilisez. Ils ne conduiront pas une moto, mais ils pourraient conduire un véhicule plus approprié pour un concours de carambolage. Leurs choix et leurs rêves ne seront peut-être pas compatibles avec les vôtres. Ce genre de situation pourrait causer des conflits et peut-être même certains des obstacles dont je parlais précédemment.

Éloignez-vous du danger, mais surtout pas de vos rêves. Si ces pilotes continuent à courir sur votre piste, trouvez-en une autre sur laquelle vous pourrez piloter en toute sécurité.

Parfois, un changement de direction ou un changement de piste (d'endroit) peut vous mettre en contact avec de meilleures personnes et/ou vous offrir des opportunités plus extraordinaires. À votre tour, vous vous améliorerez sur le plan personnel en tant qu'homme ou femme d'affaires, enseignant(e), conjoint(e) et parent. La liste est virtuellement infinie.

Si vous avez fait votre choix, vous êtes maintenant prêt à prendre de la vitesse sur la piste de course, vous êtes prêt à accomplir ce que vous désirez. Vous êtes plus rapide, vous avez évolué, vous êtes plus fort, vous êtes prêt à prendre en charge les problèmes et les difficultés qui pourraient se présenter soudainement sur votre route.

Vous êtes de retour sur la piste, plus confiant et déterminé, prêt à aller de l'avant à un rythme plus rapide. Ne perdez pas confiance en votre capacité à gagner la course, mais évitez toute négligence. Il y a des moments où vous devez ralentir et freiner à votre propre avantage. Restez conscient! Si vous vous approchez de ce dernier virage à une allure folle, vous pourriez être la cause de votre propre collision. Ce serait une terrible tragédie! Restez toujours en contrôle de la situation.

Soyez conscient de votre manière de piloter, mais prenez aussi en considération les autres personnes qui pilotent autour de vous. Évaluez les distances et les conditions routières. Souvenez-vous que si vous choisissez de faire une course sur une route glacée, vous vous exposez à des risques. Prendre des précautions est aussi important que porter un casque pour un pilote. Conduire à 300 kilomètres à l'heure implique de toujours être prêt à affronter tout ce qui peut se présenter au prochain tournant.

Juste avant le dernier tournant, DONNEZ-VOUS DU *POUVOIR,* car vous voulez franchir la ligne d'arrivée avant tous les autres motocyclistes. Ils veulent gagner eux aussi tout comme vous. Observez leur manière de conduire. Choisissez votre place sur la piste. Décidez du moment où vous sentirez qu'il est préférable d'accélérer. Vous allez de plus en plus vite. Ne regardez pas derrière vous. Concentrez-vous sur la ligne d'arrivée. Elle se trouve droit devant vous. Vous êtes plus confiant que jamais parce que vous gagnez votre propre course. Il se peut que vous finissiez derrière d'autres pilotes, mais le plus important, c'est d'accomplir vos rêves! Surmontez vos obstacles et vos peurs. Donnez le meilleur de vous-même.

Vous continuez sur la voie que vous avez choisie, vous êtes dans le dernier virage de votre vie, sur le point de réaliser votre rêve et vous ne voulez surtout pas être dépassé par la personne à côté ou derrière vous. Alors, vous essayez de combler l'écart qui vous sépare d'elle, vous jouez prudemment, vous vous stimulez un peu plus à fournir le meilleur de vous-même pour que s'accomplisse votre rêve. Le dernier virage arrive, vous êtes de plus en plus confiant, vous accélérez et, finalement, vous gagnez votre course. Vous êtes peut-être derrière un ou deux compétiteurs, mais le plus important, c'est que vous avez gagné votre propre course, vous avez atteint vos buts et votre cœur exlose de joie.

On agite le drapeau à damier pour marquer votre victoire.

Vous pouvez ralentir la vitesse de votre moto graduellement, à mesure que vous vous laissez porter durant ce dernier tour de piste.

Cependant, vous ne pouvez pas et ne voulez pas réduire la vitesse à laquelle votre cœur bat. Regardez les autres pilotes autour et les spectateurs qui applaudissent pour vous féliciter. Profitez du moment présent. Vous l'avez mérité. Prenez plaisir à ressentir que vous avez réalisé ce que vous étiez allé accomplir.

Retournez à votre station ou chez vous avec un sourire de satisfaction sur le visage parce que vous avez fait du bon travail. Arrêtez votre moto, votre corps, votre esprit et ralentissez les battements de votre cœur. Appréciez l'espace de tranquillité et de sérénité que vous avez créé en vous. Prenez quelques minutes encore pour relaxer; respirez profondément, lentement et consciemment.

Maintenant, détendez-vous, prenez plaisir à vivre le moment présent, vous êtes libre d'atteindre vos buts. Pensez-vous que la course s'arrête là, à ce moment-là? Pas du tout! Ne vous reposez pas sur vos lauriers après avoir gagné votre première course. Il y aura toujours une autre course, une autre piste qui est prête et qui attend que vous atteigniez la ligne d'arrivée. Il y aura d'autres défis à relever dans la poursuite de vos rêves. Vous aurez encore besoin d'une autre montée d'adrénaline pour continuer à les réaliser, pour vous diriger à nouveau sur la voie de la vie.

Il y aura d'autres pistes, de nouveaux compétiteurs, de nouveaux rêves et de nouvelles courses. Surtout, armez-vous de courage et gagnez la course de votre propre vie!

P.-S : Cette méditation est offerte en audio ou en CD (en anglais) sur notre site Internet ou vous pouvez obtenir votre version personnalisée en français sur demande spéciale. (http://www.keepdreamingkeepliving.org/pages/racingsystem)

Les rêves et les objectifs

Avez-vous ressenti votre rêve, votre passion? Je sais que certains ont peut-être trouvé que cet exercice était un peu fou ou ridicule, mais j'espère que vous avez essayé de le faire.

Souvenez-vous que si vous ne prenez jamais l'initiative de sortir de votre zone de confort, rien de spectaculaire ne se produira! Écrivez tout ce que vous pouvez au sujet de cette expérience et, ensuite, ajoutez votre rêve le plus fou. Vous voulez peut-être devenir premier ministre ou président de votre pays ou athlète olympique qui voyage partout dans le monde. Vous voulez peut-être aller en Afrique en mission communautaire.

Ne vous fixez pas de limites quand il est question de vos rêves. Si vous en avez l'occasion, partagez votre rêve avec une personne à qui vous accordez votre confiance et qui croit en vous. Choisissez quelqu'un qui vous écoutera sans vous juger ni vous décourager.

C'est une chose d'avoir suffisamment d'argent pour réaliser nos rêves sans laisser tomber quoi que ce soit, mais parfois, pour réaliser un plus grand rêve, nous devons faire des sacrifices. Plusieurs personnes, y compris mes amis, disaient que j'étais folle lorsque j'ai commencé à partager mon rêve avec eux.

La plupart des gens rêvent d'être propriétaires d'une maison et d'une voiture, comme j'en rêvais. Je possédais une petite maison. J'aime les voitures sport et, à ce moment-là, je possédais une Mercedes décapotable. J'ai dû vendre ma maison et ma voiture, même si elle m'étaient précieuses, pour réaliser un autre rêve.

Un matin, je suis allée faire une promenade et pendant un instant, en méditation, on aurait dit qu'une voix me parlait. « *Si tu veux vraiment que tes rêves se concrétisent, tu n'as aucun autre choix que de vendre ta maison et ta voiture.* »

« Quoi? Tu me fais marcher? » ai-je argumenté avec cette sale petite voix.

« Ce ne sont que des biens matériels, Nadine. Laisse-les aller et tu auras de bien plus belles choses plus tard. Sors de ta zone de confort! »

Je pensais avoir tout ce que je désirais dans la vie, mais ces nouveaux rêves me hantaient depuis un certain temps. Ma vie semblait se dérouler dans une totale zone de confort. Je ne travaillais pas trop fort. Je faisais suffisamment d'argent. Je ne subissais pas trop de stress et je profitais de la vie. J'étais presque en semi-retraite. Autrement dit, j'avais presque tout ce que les gens rêvaient d'avoir.

J'ai pleuré durant des semaines et même des mois, me disant que je ne pouvais pas abandonner les choses que j'avais et que j'aimais. Je m'étais donné plusieurs raisons de ne pas le faire et tous mes amis corroboraient mes raisons me demandant si j'étais devenue folle. « Tu ne peux pas te défaire de ta maison et de ta belle voiture. Ça n'avait aucun sens! »

J'écoutais les conseils qu'ils me donnaient. Je m'entendais fournir toutes les justifications pour ne pas vendre mes biens. Finalement, j'ai pris une décision. J'ai fait le saut!

Pensez-vous que pour réaliser certains de vos rêves qu'il faudra que vous fassiez des sacrifices?

Pouvez-vous conscientiser que de plus grands rêves exigent encore de plus gros sacrifices?

En dépit du découragement et de toutes les contraintes qui surviennent dans votre empressement à changer votre vie, accrochez-vous à vos rêves, peu importe ce qui peut se produire.

Une façon de vous faciliter les choses est de parler de vos rêves aux gens qui vous soutiennent. C'est ce que j'ai fait et, par la suite, j'ai cessé d'en parler aux membres de ma famille, à mes amis et même à mon copain. Les personnes à qui j'étais capable de parler de mes rêves étaient deux ou trois excellents amis qui étaient toujours prêts à m'encourager.

J'ai vendu ma maison et ma voiture et j'ai déménagé mes effets personnels dans mon bureau au sous-sol. Je dormais et je vivais dans mon bureau, une petite pièce que j'avais transformée en espace utilisable.

Je conduisais une mini-fourgonnette Chevy Van 1995 durant l'été pour économiser et acheter un motorisé pour voyager aux États-Unis à l'automne. Lorsque ma famille et la plupart de mes amis ont vu les changements que j'avais apportés dans ma vie, ils en étaient stupéfaits. Ils ont encore tenté de me décourager. Mes conditions de logement devaient être temporaires, je devais vivre de cette façon seulement quatre mois, mais à cause de toutes sortes d'imprévus, elles ont duré quatre ans.

J'ai acheté un véhicule motorisé que j'ai surnommé *Nadinou.* Je rêvais de l'utiliser pour faire une tournée à travers les États-Unis. En me préparant pour entreprendre mon premier voyage, j'écrivais dans mon carnet de rêves pour me motiver lorsque des gens me décourageaient. J'avais envisagé de voyager seule, mais j'ai changé d'idée. « Comme ce sera ennuyeux d'être seule durant quatre mois », ai-je pensé.

Je suis alors allée sur les groupes de discussion de voyage et j'ai trouvé une compagne de voyage. J'ai parlé à Carole deux fois au téléphone. Nous semblions compatibles. Nous avons donc décidé de nous rencontrer pour en discuter. Ça y était! D'une certaine manière, nous nous sommes interviewées dans le but de nous assurer de notre compatibilité à vivre ensemble à l'étroit durant plusieurs semaines.

Ma décision d'entreprendre mon voyage avec une compagne de voyage que je ne connaissais pas a seulement jeté de l'huile sur le feu de toutes les personnes qui croyaient que j'étais cinglée. Mes amis et ma famille m'ont avertie : « Allez, Nadine, elle pourrait être une psychopathe qui te jettera dehors de ton motorisé, te volera tes clés et partira avec tous tes biens! »

Il s'est avéré que Carole, l'étrangère, celle dont on me conseillait de me méfier, est restée mon amie depuis tout ce temps. Elle est même revenue avec moi une autre année! Cela illustre bien de quelle manière 90 % de nos peurs crées par nos pensées ou provoquées par d'autres personnes, ne se réalisent jamais! L'avez-vous déjà constaté?

Nous avons quitté Montréal lors de notre première tournée pour parcourir tout près de 16 000 kilomètres aux États-Unis et visité vingt et un états. Nous nous sommes dirigées vers le Sud pour rejoindre Memphis et nous avons continué vers l'Ouest en passant par le Nouveau-Mexique, l'Arizona et Las Vegas. Il faisait vraiment froid. Après trois semaines, Carole a décidé de prendre l'avion pour aller en Floride.

À partir de ce moment-là, je me suis retrouvée seule pour entreprendre ma quête spirituelle et réaliser mon plus grand rêve depuis mon enfance : visiter la Californie. J'ai roulé jusqu'à la côte du Pacifique et, ensuite, je suis retournée dans l'Est, en empruntant des routes davantage vers le Sud que nous en avions prises en allant vers l'Ouest. Je suis passée par le Texas et je me suis dirigée vers La Nouvelle-Orléans. Je voulais voir la dévastation laissée par le passage de l'ouragan Katrina.

J'étais avec mon père et mon oncle qui étaient venus me visiter pour une période de dix jours. J'ai continué vers l'Est, je me suis arrêtée en Floride et en Virginie en revenant chez moi en participant à différentes courses ici et là.

Ce fut un voyage inoubliable. Nous arrêtions pour dormir dans des relais routiers, dans des stationnements de magasins Walmart, partout et chaque fois que nous sentions que nous devions nous reposer. J'ai fait de très gros sacrifices pour réaliser ce rêve; j'ai tellement aimé l'expérience le premier hiver que j'ai voulu la répéter!

Durant le voyage, j'ai assisté à des courses de moto en commençant par une course à Las Vegas à l'école de Freddy Spencer puis, un week-end à Laguna Seca. Elle fait probablement partie des plus importantes pistes de course en Amérique et peut-être même dans le monde.

Les meilleurs pilotes du monde comme Valentino Rossi, participent à une course du Grand Prix moto et au championnat *World Superbike Championship*. À la fin de mon voyage, je suis allée également à la réputée *Daytona Bike Week*, mais cette fois-ci, j'y étais en tant que pilote.

Êtes-vous un adepte de la moto? Un amateur de sports? Un passionné de musique, de théâtre, d'arts, d'informatique, d'horticulture ou d'animaux? Peu importe ce qui vous intéresse, faites-en votre passion, une chose à laquelle vous pouvez vous accrocher et qui vous motive, vous aide à continuer et à aller de l'avant sur la piste de course de votre vie.

Si vous n'avez pas encore trouvé votre passion, c'est le moment de le faire. Retournez au début de ce chapitre et refaites la méditation du motocycliste autour de la piste de course. Inspirez, expirez, allez chercher au fond de vous ce qui s'y trouve et découvrez votre passion : voilà le secret!

Vous pouvez refaire la méditation aussi souvent que vous le désirez.

Chaque fois, vous ressentirez quelque chose de différent, de plus profond et de plus extraordinaire. Le CD contient de la musique rock dynamique pour faire monter l'adrénaline en vous et vous aider à passer à l'action, à entreprendre votre course et à franchir la ligne d'arrivée!

IL N'Y A PAS DE HASARD DANS LA VIE

Nous devons tous affronter la vie avec ses bons et ses mauvais moments, et cela, du mieux que nous le pouvons. Généralement, nous sentons que les mauvais l'emportent sur les bons. La peur s'insinue dans nos émotions, nous nous imaginons que le monde s'écroule autour de nous et nous nous amenons dans un abîme de noirceur. Comment pouvons-nous nous en sortir? Comment pouvons-nous éviter que nos jambes cèdent sous le poids de notre chagrin, de notre douleur et de notre peine lorsque nous nous sentons rivés au sol ne sachant pas à qui nous pourrions demander de l'aide?

Nous ne le réalisons peut-être pas à ce moment-là, mais il y a habituellement au moins une personne qui emprunte le chemin de la vie avec nous. Ce n'est peut-être pas évident au début, mais il y a toujours quelqu'un qui nous offrira du réconfort lors de moments plus difficiles. Cette personne nous aidera à percevoir une étincelle positive lors de moments de grande noirceur. Elle nous aidera à réaliser que nous n'avons pas échoué et nous encouragera à continuer à vivre notre vie.

Nous ne devons jamais perdre nos rêves de vue. Nous devons écouter la voix de cette conseillère. Il y a toujours une voix d'espoir. S'il n'y avait pas de catastrophes, d'erreurs ou d'impairs dans nos vies, nous vivrions dans un monde parfait.

Ce n'est pas la réalité. Pourquoi avons-nous si peur de lâcher prise et de vivre notre vrai *MOI?* Pourquoi avons-nous besoin d'analyser tout ce qu'il y a dans la vie? Nous hésitons à manifester nos désirs. Nous érigeons des barrières, des barrages et nous dressons des obstacles sur la route que nous empruntons.

Laissez échapper un cri de douleur si vous ressentez le besoin de dissiper votre anxiété et mettez ensuite le passé derrière vous. Donnez-vous une chance d'être libre de vivre comme vous le voulez. Brisez les barrières, enlevez les barrages routiers et contournez les obstacles.

Vous ressentirez toujours de la peur, mais vous devez apprendre à l'accepter comme faisant partie du parcours de votre vie. Prenez la route en la défiant et ainsi vous deviendrez plus fort et aurez plus d'endurance. N'ayez pas peur de faire face à vos problèmes. Surmontez-les et utilisez vos outils pour vous bâtir un meilleur avenir et des lendemains plus heureux. Ayez confiance en vos capacités d'accomplir ce que vous désirez le plus. Faites confiance à la vie et elle mettra sur votre route les bonnes personnes au bon moment.

J'espère que vous ne pensez pas que ma vie est parfaite. C'est lorsque tout va mal, lors de tels moments, que nous devons relever nos défis.

En 1995, je pensais que la vie n'était pas assez belle pour la vivre et qu'elle n'en valait pas la peine.

Un soir où des pensées noires brouillaient mon jugement, je ne pensais qu'à me suicider. J'ai ressenti le besoin de parler à ma mère. Elle m'a vraiment écoutée avec tout son amour, elle a entendu la profondeur de ma tristesse, de ma détresse. Il est important d'écouter les gens qui vous parlent de leur détresse. Il est aussi très important d'en parler si vous êtes triste. Vous devez réaliser qu'il y a toujours quelqu'un sur la terre qui sera là pour vous aider, que ce soit un parent, un ami. Il y a aussi différentes associations pour les gens qui sont en détresse.

Il faut aller chercher de l'aide, il faut s'accrocher fermement à son rêve.

À partir de ce soir-là, tout a commencé à changer dans ma vie. Cette écoute attentive que ma mère m'a procurée m'a permis de me concentrer un peu plus et d'entretenir des pensées plus positives. J'ai commencé à reconstruire ma vie et à développer ma confiance en moi. J'ai participé à plusieurs séminaires, j'ai beaucoup lu, j'ai fait un grand ménage autour de moi. J'ai dû faire un choix parmi ceux que je qualifiais d'amis pour être certaine que ceux qui graviteraient dans mon énergie seraient des personnes qui m'aideraient à percevoir le *pouvoir* que je possède et m'inciteraient à réaliser mes rêves. J'ai appris une très grande leçon.

Ça passe ou ça casse!

Ma vie n'a pas été facile, surtout de mon point de vue.

J'étais une personne très négative jusqu'à ce que j'atteigne l'âge de vingt-cinq ans. Je me disais continuellement que lorsque j'atteindrais mes vingt-cinq ans, soit que ça passerait ou casserait! J'étais incapable de croire que nous venions au monde que pour aller à la garderie, à l'école, trouver un emploi, travailler follement toute la semaine pour ensuite relaxer et regarder la télévision les week-ends et n'obtenir que deux semaines de vacances par année. Non! Ce style de vie ne fonctionnait pas, trop peu pour moi! Dans ma façon de penser, ce n'était PAS cela vivre! Cela me paraissait si banal, si peu approprié.

Quand tout va mal, c'est le moment idéal pour combattre tous les obstacles, mais je n'avais pas encore appris cela. Jusqu'en 1995, je pensais que la vie n'était pas suffisamment belle pour continuer à vivre.

J'allais bientôt célébrer mon vingt-cinquième anniversaire de naissance, mais il y avait très peu de choses que je pouvais faire pour célébrer parce que la maladie m'avait frappée la semaine précédente. J'avais reçu un diagnostic de pneumonie.

J'avais été très malade durant trois semaines, si malade que j'avais perdu plus de huit kilos. En plus de me sentir très faible, j'étais devenue encore plus déprimée que je ne l'étais déjà. Un ami m'avait apporté un livre intitulé *Écoute ton corps* dans lequel j'ai appris que la pneumonie, sur le plan psychosomatique, peut provenir de sentiments de grande désolation, qui conduisent à ne plus vouloir vivre et ne plus jamais respirer. J'avais trouvé le concept assez juste par rapport à mon cas, chose que j'ai réalisée quelques années plus tard. Je me moquais de vivre ou de mourir. J'essayais de garder le moral devant les gens, et même de rire un peu, mais dans mon for intérieur, je savais très bien que ces symptômes représentaient exactement une mauvaise passe.

Un soir, quelque temps après ma pneumonie, j'ai regardé une émission de télévision à propos du suicide. Alors, je me suis dit : « D'accord, c'est ce soir que ça se passe. » Je pensais que j'étais prête à mettre fin à ma vie, mais l'animatrice de l'Amour avec un grand A, Janette Bertrand, disait qu'avant de passer à l'acte, nous devions faire un dernier appel. Elle disait que nous devions le faire pour nous.

Je ne cessais de passer ma vie en revue dans ma tête, mais plus j'en faisais l'évaluation et plus je devenais critique à mon égard. Je ne pouvais m'empêcher de penser à tous les aspects négatifs. Je n'occupais pas mon emploi de rêve, ce qui me déprimait au plus haut point parce que cela voulait dire que j'avais étudié avec acharnement pour aboutir à absolument rien.

Je ne vivais pas où je voulais vraiment, c'est-à-dire en Californie ou en Australie. Je n'avais pas suffisamment d'argent pour changer ma vie aussi rapidement que je l'aurais aimé. Du côté de ma vie sentimentale, ma relation avec mon copain était loin d'être ce qu'on pouvait qualifier de relation saine. Ma liste de frustrations s'allongeait jusqu'à ce que mon esprit soit rempli seulement de zones grises évoluant rapidement au noir.

Cette soirée est devenue la plus sombre de ma vie, la plus sombre que je n'avais jamais connue. Je n'avais jamais eu autant de pensées suicidaires. C'est autour de 2 h 30, que j'ai pensé de téléphoner à ma mère. Je me suis dit que si je lui téléphonais, elle dirait qu'il était tard et ensuite, elle soulignerait mes remarquables qualités. Elle dirait : « Tu es bonne à l'école, en musique, dans les sports, etc. Tu es ceci, tu es cela et tu n'as aucune raison de ne pas être heureuse dans la vie. Nadine, tu possèdes tout ce dont tu as besoin pour réussir... »

Je n'étais pas d'humeur à entendre un tel discours et je n'avais pas beaucoup d'amis à cette époque-là avec qui j'aurais voulu partager ma douleur.

Finalement, j'ai creusé profondément dans mon cœur pour trouver le courage de téléphoner à ma mère. Ce soir-là, elle m'a écoutée à cœur ouvert parler de mon chagrin sans me rappeler à quel point j'étais bonne en tout et que je devais être reconnaissante pour tout ce que j'avais accompli. Elle m'écoutait comme si nos âmes et nos cœurs s'étaient fusionnées. Ce soir-là, ma mère m'a fourni tout ce dont j'avais besoin pour me donner le goût de vivre. Elle comprenait que j'avais besoin de m'exprimer. J'avais besoin d'entendre de ma propre voix exprimer toutes mes pensées négatives. À ce moment-là, il était essentiel pour moi, pour ma vie, que l'on comprenne mes sentiments sans question ni reproche.

Ma mère m'a vraiment sauvé la vie. Si elle n'avait pas entendu mon appel à l'aide, je n'aurais peut-être pas survécu à cette nuit-là. C'est à ce moment-là que j'ai appris l'importance de nous débarrasser des fardeaux oppressants avec l'aide de quelqu'un vraiment sensible à notre situation. Je suis aussi devenue consciente du fait que si nous nous attendons à ce que quelqu'un nous aide de cette façon, nous aussi nous devons être prêts à donner en retour.

Si nous nous soucions vraiment d'une personne, nous devons faire en sorte qu'elle se sente suffisamment à l'aise pour partager ses ennuis. Si quelqu'un se présente à vous dans un état mental ou émotionnel désespéré, écoutez sans juger et sans essayer de lui trouver une solution. Ne faites qu'écouter. Vous pourriez sauver une vie.

Cette même nuit, j'ai commencé à changer ma vie. Petit à petit, un tournant à la fois, j'ai affronté mes hauts et mes bas, mais j'étais sur la voie de la guérison. J'ai commencé à me concentrer davantage sur ma pensée positive. J'ai reconstruit ma vie pour accroître ma confiance en moi-même. J'ai participé à des séminaires et j'ai lu plusieurs livres qui m'ont été très utiles. J'ai amélioré mon environnement en choisissant de meilleurs amis et en m'assurant que ceux qui m'entouraient m'aideraient à reprendre mon *pouvoir* intérieur pour réaliser mes rêves. Pour moi, j'ai vécu l'ultime leçon de mon existence.

J'ai encore des moments de doute, nous en avons tous. Lorsque je me décourage, je me remémore toujours une extraordinaire chanson, une qui m'est très chère. À l'origine, elle était chantée par James Taylor, mais ma préférée est la version de Carole King, l'auteure de cette chanson.

De quelle chanson s'agit-il? *You've Got a Friend.* Écoutez-la sur YouTube. Les paroles sont profondes.

Maintenant, je réalise que le suicide n'est pas une véritable solution parce que *c'est une réponse permanente et irréversible à un problème temporaire.* Nous avons plutôt besoin de rêver encore plus grand pour nous permettre de traverser ces moments troublants. Nous ne devons jamais laisser les amis, la famille, le conjoint ou qui que ce soit d'autre anéantir nos rêves. Nous devons nous éloigner de ces *éteignoirs.*

Nous devons continuer à apprendre, garder l'esprit ouvert et cesser de résister aux situations qui surgissent sur notre route. Nous devons chercher à l'intérieur de nous des façons d'améliorer une situation négative ou des moyens d'en tirer une leçon. Nous devons suivre le mouvement comme avec une moto. Notre corps a besoin de fusionner avec la moto et de danser au rythme de la chanson de la vie à tout moment. Tout comme sur la piste de course, nous devons ajuster nos mouvements et conduire plus lentement s'il pleut.

Lorsque la vie est comme une journée pluvieuse, il se peut que nous perdions de l'adhérence; ainsi, nous devons être plus prudents, prendre du temps pour relaxer, penser et devenir conscient de notre environnement. En faisant cela, nous pouvons à nouveau danser avec la vie en parfaite harmonie au rythme que nous pouvons suivre.

La mort de Robin Williams a fait remonter des émotions

Dix-neuf ans plus tard, après avoir pensé sérieusement à me suicider à de nombreuses occasions, il y a encore beaucoup d'émotions qui refont surface. En apprenant le décès par suicide d'un de mes acteurs préférés qui projetait une image si positive, je ne me suis pas sentie bien de toute la journée. Avant même de le savoir, ça m'a tout pris pour sortir de mon lit ce matin-là, je n'avais pas le goût de travailler et l'annonce de cette triste nouvelle m'a mise tout à l'envers et m'a fait pleurer à plusieurs reprises durant la journée.

Ça faisait deux à trois semaines que je me demandais ce qu'il y avait dans l'air et, malheureusement, Robin Williams ne s'en est pas sorti. Il n'a pas gagné la course de la vie et n'a pas réussi à atteindre la ligne d'arrivée. Cette mort est assurément prématurée et j'envoie tous mes vœux de courage et de lumière à toute sa famille et ses amis. Un *héros* n'est plus de ce monde, mais j'espère qu'il nous fera rire de là-haut.

Je ne peux pas parler pour Robin Williams et tous les autres qui sont en détresse ou qui sont passés à l'acte, mais permettez-moi maintenant, avec le recul de dix-neuf années et tout mon travail auprès de mes clients en coaching et participants à mes conférences, d'analyser la situation du suicide selon mon point de vue :

1- Sans rêves, il est impossible de s'en sortir

Quant à moi, mon vide intérieur était tellement grand qu'il m'a fallu deux passions pour sauver ma vie. Je jouais au volleyball deux à trois fois par semaine et je faisais mes exercices de piano durant une heure trente à deux heures par jour pour combler le vide qui s'était installé en moi. Je ne pouvais pas l'expliquer, car j'étais bonne à l'école, en musique, dans les sports et j'avais une bonne famille. Donc, personne ne me comprenait ou prenait la peine de m'écouter. Je me sentais coupable d'être malheureuse et je me sentais de plus en plus isolée.

2- L'écoute sans jugement est essentielle

Habituellement, les gens écoutent à peine d'une oreille et essaient de régler les problèmes, donner des conseils, remonter le moral ou nous dire : « Ce n'est pas si mal que cela! Il y en a qui sont bien pires que toi! » Ce ne sont absolument pas les bonnes choses à dire, du moins, pas dans mon cas. Même dernièrement, quand je parle des problèmes que je rencontre, des dilemmes que j'affronte et des étapes que je dois franchir, personne ne me comprend et je passe pour une râleuse, une personne négative ou qui se plaint pour rien! C'est une question de nature humaine, j'imagine... Et je ne parle pas ici des gens qui se plaignent tout le temps, qui se prennent pour des victimes et qui ne font rien pour passer au travers, c'est une autre histoire. J'étais comme cela à l'époque donc, je sais faire la différence.

Dans bien des cas, tant qu'on n'a pas toutes les données quant à l'étendue des problèmes, il est bien difficile de juger les gens et de comprendre leur état d'âme. La seule chose à faire, c'est d'écouter, sans jugement.

3- La solitude tue

Que ce soit physiquement ou émotionnellement, par rapport à des maladies ou à l'effondrement de nos rêves, la solitude nous fait tous mourir à petit feu. Se sentir seul est sûrement l'un des fléaux grandissants de notre société active avec toutes les communications électroniques, tous les médias sociaux et les gens qui écoutent trop la télévision. On doit augmenter le contact humain, les accolades, les regards dans les yeux et les communications directes si l'on veut faire tourner la roue dans le bon sens.

Dans mes conférences, même en Afrique, avec les diplomates et les gens du peuple, je fais faire un exercice où les gens doivent connecter entre eux et se toucher. J'ai toujours plein de commentaires positifs et, bien sûr, quelques-uns négatifs. Les gens ont besoin de reconnaissance, de contact et d'un sentiment d'appartenance. S'ils ne les ont pas, ils peuvent se tourner vers la drogue, l'alcool, le sexe, la nourriture à l'excès ou dans mon cas, le sport et la musique. C'est tout de même mieux que de joindre les *gangs de rue* et j'en remercie le ciel!

4- La maladie mentale est une façon de cacher le vrai problème

Chaque fois que j'entends que la maladie mentale est à l'origine d'un suicide, ça me fait réagir! Oui, il y a des cas où c'est vrai, mais cela ne s'applique pas toujours. J'aimerais bien mettre la main sur une statistique à cet égard. J'étais loin d'avoir une maladie mentale et on m'a fait prendre des médicaments *Zoloft* en 1995, lorsque j'ai consulté un psychologue et un psychiatre.

En étant médicamentés, les gens trouvent ça plus normal, mais en fait, c'est un mal à l'âme, un mal de vivre qui grandit de plus en plus, si l'on n'est pas bien entouré, ou si l'on n'a pas le soutien nécessaire, ou même parfois, sans quelque raison que ce soit.

Je détestais mon travail de secrétaire, alors que j'avais étudié pour travailler en actuariat et que mon but était de voyager à travers le monde. Je devais *me conformer* alors que j'avais des idées de grandeur; c'est là que se situait le problème.

Si nous ne réalisons pas notre plein potentiel, si nous étouffons nos rêves, nous mourons à petit feu. Regardez et écoutez vraiment autour de vous, surtout les gens ayant reçu un diagnostic de maladie mentale, on ne fait qu'atténuer le problème, on ne va jamais à la source ou on ne fait pas de prévention avant que le problème ne dégénère.

Même si des célébrités comme Robin Williams, Elvis Presley, Whitney Houston, Michael Jackson et, au Québec, Dédé Fortin (chanteur-compositeur), Gaétan Girouard (journaliste), et j'en passe, avaient tous l'air d'avoir des vies exemplaires, ils ont quand même décidé – ou c'est ce qu'on soupçonne – de s'être enlevé la vie. Quand il y a un grand vide à l'intérieur, ça ne s'explique pas.

J'ai eu la chance de tomber sur l'émission de Janette Bertrand le soir où elle a dit : « Vous pouvez le faire, mais avant, il faut parler à au moins une personne », c'est ce que j'ai fait. J'ai téléphoné à ma mère qui m'a écoutée, sans jugement et c'est ce qui m'a sauvé la vie.

J'ai donc changé de travail, je suis devenue une entrepreneure, j'ai lu beaucoup de livres d'inspiration, j'ai assisté à des conférences sur les affaires et la motivation. En 1996, j'ai rencontré l'amour et de 1995 à 1999, petit à petit, je m'en suis sortie. Mon grand vide intérieur a vraiment disparu en novembre 1999 lorsque j'ai découvert l'atelier *Éveil du soi* donné par Annie Marquier à l'Institut de développement de la personne. Une graine a donc commencé à germer en moi de devenir conférencière pour aider les gens grâce à mon expérience personnelle.

Aux États-Unis, dernièrement le taux de suicide a augmenté de 30 % en 10 ans chez les gens plus âgés, mais ces dernières statistiques m'ont laissée bouche bée : récemment, l'automutilation a pris plus de vies annuellement à travers le monde que la guerre, les meurtres et les désastres naturels, combinés. Dans les pays dits *plus avancés*, seulement trois causes de décès volent plus d'années d'espérance de vie selon des données préparées au printemps 2014 par *l'Institute for Health Metrics and Evaluation at the University of Washington*. C'est assez difficile à croire et c'est là une constatation désolante!

Au Québec, selon une étude menée en 2007*, le taux de suicide par 100 000 habitants atteignait 22.3 décès chez les hommes et 5.8 décès chez les femmes.

Nous vivons tous des moments difficiles et nous traversons tous des épreuves dans la vie. Au fil des années, je suis devenue une experte en façons de *Gagner la course de la vie à 300 km/h*, de surmonter les épreuves, de défoncer des murs, de réaliser l'impossible sans trop de soutien, mais il y a des moments où on dirait que tout est mal aligné et que tout va mal! Plus je travaille sur de gros projets, plus je me rapproche de ma mission, plus j'aide les gens autour de moi, et plus j'ai l'impression que les problèmes n'arrêtent pas de me tomber sur la tête et que rien n'avance à mon goût. Je partage ma propre histoire ici parce que je sais que plusieurs personnes ressentent les mêmes effets, mais que personne n'ose en parler.

Lorsque j'ai commencé à donner des conférences en 2007 afin de réaliser ma mission de vie, mon principal sujet consistait à partager mon histoire. J'allais parler du suicide dans les écoles.

Je voulais donner des conférences-spectacles pour des groupes qui viennent en aide aux gens dépressifs et ayant des idées suicidaires, aux gens en détresse, aux femmes abusées, etc. Mais vous savez quoi? Personne ne veut en entendre parler, seulement deux ou trois personnes m'ont rappelée après une campagne d'environ 300 courriels. Je n'arrivais pas à le croire! Même les organismes ne répondent pas en raison de la bureaucratie tandis que les autres ne veulent pas aborder des sujets aussi douloureux.

**Source: Quebec Association of Suicide Prevention*

De plus, on me demandait : « Est-ce que tu es une intervenante en suicide ou une enseignante? » Ma réponse était : « Ni l'une ni l'autre, mais je suis passée par là et les gens peuvent apprendre de mon expérience. Je suis prête à donner mes conférences gratuitement à des organisations comme la vôtre ou aux écoles. » En vain...

C'est seulement quand deux expertes en marketing ont complètement changé mon message pour le transformer de façon plus positive comme *gagner la course de votre vie, courir vers votre succès, devenir un expert dans votre industrie* que j'ai commencé à avoir du succès.

J'ai créé ma fondation *Keep Dreaming, Keep Living* aux États-Unis (Continuez à rêver, continuez à vivre) pour aider les gens à ne pas abandonner et à réaliser leurs rêves. Je donne des conférences à travers le monde.

Je suis certaine qu'il y a beaucoup trop de gens qui passent par là. Je pense que dans cet état de conscience, on ne cherche pas vraiment de solutions pour s'en sortir.

Je n'ai jamais utilisé une ligne d'écoute et je me suis encore moins inscrite à des séminaires à cette étape de ma vie. Le sport et la musique, ma passion et mes rêves m'ont sauvé la vie.

À l'âge de 20 ans, les écoles ont commencé à couper les sports, la musique, la peinture, les arts et les activités parascolaires et je disais haut et fort : « Ils ne comprennent absolument rien. Dans quinze ans, ils se demanderont pourquoi le taux de suicide et de décrochage scolaire aura autant augmenté. »

C'est exactement ce qui arrive et on cherche des solutions superficielles, alors qu'il faut revenir aux racines des problèmes. Selon moi, c'est la même chose avec ceux qui souffrent de déficits d'attention; la société est devenue trop lente pour certains et on essaie d'étouffer leur créativité alors que plusieurs deviennent les meilleurs entrepreneurs du monde!

Je rêve depuis 2007 de créer une semaine mondiale de prévention du suicide et de la dépression à l'intention des adolescents et de leurs parents, qui inclurait des concerts, des ateliers, des sports, de la musique et tout ce qui est en lien avec le fait de bâtir ses rêves. Un genre de *Woodstock* où je serais la *Janis Joplin* de l'événement!

Comme vous le voyez, j'ai toujours des idées de grandeur, mais étant donné que les gens veulent parler d'argent, d'affaires et devenir millionnaires, nous venons de créer le *Teen CEO Show* (*L'émission PDG ado*), une émission de téléréalité pour adolescents de 13 à 19 ans, qui pourront apprendre des notions à propos des affaires, tout en apprenant au sujet de l'attitude des champions, les secrets pour enregistrer une performance optimale et, surtout, apprendre et conscientiser que tout commence à l'intérieur de soi! Il s'agit en fait d'un mélange d'Oprah Winfrey et de Donald Trump!

Pas de hasard

Cette histoire de pneumonie dont j'ai parlé à la page 84 n'était pas un hasard; elle a changé ma vie. Il y a une raison pour chaque chose qui se produit.

Voici un autre exemple plutôt inusité : j'étais rendue à Jacksonville en Floride durant les dernières semaines de mon voyage de quatre mois. J'avais énormément de travail qui m'attendait et j'avais besoin de faire du ménage dans les fichiers de mon ordinateur et d'organiser les tâches que je devais accomplir avant de revenir au Québec.

Comme je commençais à faire le ménage de mes dossiers, mon disque dur *a planté!* Je ne pouvais plus récupérer mes courriels ni créer de nouveaux fichiers. Je me retrouvais au milieu d'une ville inconnue et je ne connaissais personne qui aurait pu réparer mon ordinateur.

Plus tard, le même jour, mon véhicule était garé dans le stationnement d'un magasin Home Depot. J'étais assise sur le pare-chocs à tenter de réparer ma moto; il fallait réparer la fibre de verre, sabler, réparer la peinture et bien astiquer le pare-brise. Ma moto devait être réparée avant la course de Daytona et avant le week-end de pratique de Jennings. Je m'étais arrêtée pour acheter des fournitures et commencer les réparations. Un homme qui conduisait une superbe voiture s'est arrêté et m'a demandé si j'étais pilote?

- Quel genre de moto transportez-vous dans cette remorque? m'a-t-il demandé.

- Je possède deux Honda CBR 600.

- Très bien, moi aussi, j'ai une moto. Je ne participerai pas à la course cette fois-ci, je vais seulement assister aux pratiques de courses de Jennings.

- Moi aussi!

Nous avons parlé de toutes sortes de sujets : des choses de la vie, de mon voyage aux États-Unis, de ma vie. Je lui ai dit que j'étais rendue aux trois dernières semaines de mon voyage avant de retourner au Canada et que je devais travailler sur mon ordinateur parce que le disque dur avait cessé de fonctionner.

- Oh! a-t-il ajouté, c'est votre jour de chance, mon amie. Je suis technicien informatique. Je peux régler le problème, récupérer vos données en quelques jours et vous rapporter votre ordinateur à la piste de course.

Le surnom de cet homme était *Rabbit.* Nous communiquons encore ensemble de temps à autre. Il s'est présenté à un moment critique pour me donner un coup de main alors que j'en avais réellement besoin. Quelles étaient les probabilités pour que quelque chose d'aussi parfaitement orchestré se présente à ce moment précis? En parfaite harmonie. La loi de l'attraction. La synchronicité. Plusieurs autres événements semblables à celui-ci se sont pro-duits durant mon voyage. Pour moi, il s'agit d'une confirmation qu'il existe quelque chose de plus grand que moi — une confirmation à l'effet que si vous croyez en quelque chose et que vous le voulez vraiment, votre voeu se réalisera.

Si vous faites confiance à l'Univers, il vous accordera ce dont vous avez besoin, au bon moment. Si vous souhaitez que des événements spéciaux se produisent tels que ceux que je viens de citer, c'est possible! Plus vous recherchez l'équilibre intérieur, plus vous équilibrez les segments des événements de votre vie, trouvez la paix intérieure, plus il est facile d'attirer vers vous les bonnes affaires, les bonnes personnes et les bons événements dans votre vie.

Je ne suis pas toujours en paix avec moi-même et ce sera la même chose pour vous. Le secret se trouve dans la rapidité à laquelle vous êtes capable de vous ressaisir et de récupérer votre énergie positive. Lorsque vous êtes en paix avec vous-même, il devient plus facile d'attirer les bonnes choses de la vie. Vous êtes alors en mesure de réaliser vos rêves et d'attirer tout ce dont vous avez besoin pour atteindre vos buts.

De la neige au Nouveau-Mexique

En direction de Las Vegas, nous sommes passées par le Nouveau-Mexique. Quelques heures plus tard, après Albuquerque,

Carole voyageait encore avec moi, nous discutions beaucoup et les conditions de la route étaient excellentes. Soudainement, de gros nuages ont couvert le ciel. Nous étions à quelques heures de la prochaine ville, Santa Rosa. Il était 17 heures et nous avions tout le temps voulu pour nous y rendre.

Puis, il s'est mis à neiger, une douce neige au début, mais rapidement la chute est devenue plus intense. J'ai l'habitude de la neige, alors je n'ai pas paniqué. Toutefois, je n'avais que deux ou trois semaines d'expérience dans la conduite de mon véhicule récréatif et de ma remorque et je n'avais jamais conduit une telle longueur dans la neige.

En raison des routes glacées et de l'abondante circulation, tous les conducteurs conduisaient avec précaution et toutes les automobiles glissaient partout, même à trente kilomètres à l'heure, quand nous arrivions à avancer. À cette vitesse, il nous faudrait une éternité pour nous rendre à Santa Rosa.

À un certain moment, un camionneur s'est approché de nous et il a klaxonné pour attirer notre attention. Je ne voulais pas ouvrir ma fenêtre à un étranger, mais quand j'ai vu qu'il était imprimé *Boisbriand, Qc,* sur la porte de son camion, j'ai décidé de lui répondre.

- Hé, les filles. Comment aimez-vous le Nouveau-Mexique sous la neige?

Il nous abordait en français, aux États-Unis!

- On ne l'aime pas! Nous voulions fuir le Québec, la neige et le froid et nous voici à des kilomètres de chez nous avec les mêmes conditions.

- Saviez-vous que la route est fermée plus loin pour la nuit? Il n'y a plus de place dans la prochaine petite ville pour se garer, alors nous devrons dormir sur l'accotement de la route.

- Vous voulez me faire marcher?

- Non, mais ne vous en faites pas, je vais me stationner derrière vous. Si quelque chose se produisait, je serai là pour vous protéger. Ce genre de tempête de neige arrive tous les deux ou trois ans, alors j'ai l'habitude. Tout va bien aller.

- Oui! Merci.

Comme il n'avait pas de nourriture, nous avons hésité avant de l'inviter à l'intérieur pour manger avec nous. Nous étions d'accord toutes les deux qu'il semblait être une bonne personne. Munies d'une hache et d'un marteau comme moyens de défense, nous pourrions le repousser s'il voulait nous attaquer. C'était agréable de discuter avec lui et nous avons même ouvert une bouteille de vin. Nous avons passé une belle soirée et avons dormi au milieu de nulle part. Il était content, nous étions satisfaites et la vie était toujours belle.

Au matin, nous étions vraiment heureuses qu'il soit encore là. J'avais laissé mes clignotants fonctionner toute la nuit et ma batterie était à plat. J'ai dû frapper à sa porte pour lui demander de l'aide. La circulation avait déjà recommencé à rouler, il n'y avait alors aucun moyen pour lui d'approcher son camion à côté de mon véhicule pour booster ma batterie. Il m'a demandé si j'avais une batterie de rechange pour faire fonctionner l'électricité à l'intérieur et nous l'avons utilisée pour régler le problème. Tout s'est bien passé et nous nous sommes fait un nouvel ami.

À nouveau, il n'y a pas de hasard dans la vie. Par quelle chance, durant une tempête de neige au Nouveau-Mexique, un gros camion du Québec aurait-il pu s'arrêter à nos côtés au moment opportun pour nous venir en aide? Quelle incroyable synchronicité!

Le moment choisi était parfait pour Carèle

Je veux vous faire part d'une autre histoire qui provient cette fois-ci d'une autre personne. Je désire vous montrer à quel point il n'y a pas de hasard dans la vie et que cela peut s'appliquer à n'importe qui dans n'importe quelle situation, ordinaire ou extraordinaire. Je vous présente mon amie, Carèle. Elle vous raconte son histoire en répondant à mes questions.

- Carèle, toi et moi avons la même opinion. Nous ne croyons pas au hasard. Peux-tu me parler davantage de tes idées à ce sujet?

- C'est incroyable comme il n'y a pas de hasard dans la vie. Lorsque j'étais en recherche d'emploi près de chez moi, un travail intéressant qui me passionnerait vraiment, j'ai trouvé ta page sur Facebook. Je connaissais quelques détails à ton sujet, mais je ne savais rien de ton histoire. J'ai été surprise de voir toutes les similitudes entre nos deux histoires, a-t-elle répondu.

- Raconte-moi l'histoire de ta vie.

- Durant 34 ans, j'ai à peine existé dans ma vie plutôt que de la vivre. Je ne m'aimais pas du tout ni la façon dont ma vie se déroulait. Je courais tout le temps sans direction ou but à atteindre. Je pleurais constamment, seule, parce que je ne voulais pas que quiconque sache à quel point j'étais déprimée. À l'âge de 34 ans, j'étais prête à me suicider. À ce moment-là, mes trois enfants étaient âgés de onze, neuf et six ans. J'avais écrit un message d'amour à chacun d'eux et je l'avais inséré dans une enveloppe pour qu'ils puissent le lire une fois que je serais partie.

Durant ce temps, j'ai commencé à entendre une petite voix qui me disait de téléphoner à un ami en particulier. C'est ce que j'ai fait. Je pensais que ce serait mon dernier appel téléphonique. Cet appel a plutôt été un élément déclencheur qui a fait en sorte que ma vie a commencé à s'améliorer. J'ai décidé de me donner une autre chance dans cette vie et j'ai entrepris de faire un grand travail en croissance personnelle, étape par étape, pour finir par comprendre que ma vie m'appartenait. Je suis un miracle de la vie et je mérite d'obtenir tout ce que je désire. Je mérite de réaliser mes rêves.

- Quelle est ta mission? lui ai-je demandé.

Je voulais qu'elle me donne plus de détails pour mieux comprendre, mais pour qu'elle aussi puisse mieux comprendre.

- Au cours des six dernières années, j'ai beaucoup travaillé sur moi pour finalement choisir de vivre en étant moi-même, une vie où je vais dans la direction de ce que je sens devoir faire plutôt que de vivre en suivant ce que les autres pensent que je devrais faire.

En me permettant d'être vraiment moi, j'ai décidé de divorcer et de vivre ma vie en tant que femme homosexuelle, car je sentais que c'était la direction que je devais suivre et le choix que je devais faire. Est-ce que j'étais gênée de parler à mes enfants ou ma famille de ma nouvelle vie? Pas du tout! Et tu sais quoi, Nadine? Parce que je me sentais tellement bien d'être la personne que j'étais maintenant, je n'ai pas obtenu de réaction négative. La plupart des gens de mon entourage étaient contents pour moi, même mes enfants.

À l'été de 2010, pendant que s'opéraient tous ces changements et toutes ces améliorations, assise à l'extérieur toute seule me connectant à mon âme, c'est là que j'ai découvert ma mission qui est celle de seulement ÊTRE et de toucher le plus de gens possible dans le monde. Je dis toujours qu'il n'y a rien de mauvais dans la vie, qu'il n'y a rien de bon non plus. Il n'y a que les perceptions des gens qui sont différentes. La chose la plus importante dans la vie est que les gens soient eux-mêmes, qu'ils aient du plaisir et qu'ils ne fassent pas trop attention à ce que les autres pensent d'eux.

- C'est une très belle leçon, Carèle. Merci beaucoup. Malheureusement, il n'est pas toujours facile d'être aussi confiant en tout temps. Tu es un modèle incroyable pour les autres et j'espère vraiment que tu pourras aider plusieurs personnes à trouver QUI elles sont vraiment. Maintenant, pourrais-tu me parler de tes rêves?

- Je rêve de voir de plus en plus de gens vivre leur vie en ÉTANT la personne qu'ils sont vraiment. Je rêve de promouvoir l'art et la science d'ÊTRE à au moins un million de personnes par l'entremise de services et de produits offerts sur mon site Internet. Avec un peu de chance, ce rêve inspirera les gens à vivre leur vie en tant qu'esprits libres et seulement ÊTRE, à avoir et faire ce qu'ils choisissent.

En réalisant ma mission, je poursuivrai mes propres rêves, dont ceux d'avoir une maison en Espagne d'ici 2014 et d'y passer quatre mois chaque année. Je veux prendre une semaine de vacances tous les deux mois sur les plus belles plages du monde. Je rêve d'avoir un revenu résiduel suffisant pour devenir libre financièrement et avoir beaucoup de temps libre pour le passer avec mes trois enfants. Je rêve de faire tout en mon possible avec les ressources que je possède pour que mes trois enfants puissent eux aussi atteindre et réaliser leurs rêves.

- Wow! C'est étonnant que tu puisses décrire tes rêves aussi clairement, que tu sois déjà passée à l'action et que tu sois sur la voie de les réaliser. Tu parles beaucoup de tes enfants. Quels sont tes sentiments envers eux?

- Je me souviendrai toujours du jour où j'étais sur le point de me suicider. Je n'aurais pas seulement détruit ma vie, mais aussi celle de mes enfants. Je ne peux pas changer le passé; je ne peux que l'accepter. Je sais maintenant que j'ai le cœur plein de gratitude d'être en vie pour les voir grandir. Ils sont des miracles de la vie et j'apprends beaucoup d'eux.

Aujourd'hui, je suis tellement reconnaissante pour la personne que JE SUIS et j'aime ma vie au plus haut point. Je veux continuer de rayonner cette énergie pour que les gens la ressentent et l'appliquent dans leur propre vie. La vie est comme un grand spectacle où nous sommes le producteur principal et le créateur de tout ce que nous désirons. Il n'y a pas de hasard. Nous sommes le créateur et tout n'est que choix.

La merveilleuse histoire de Carèle est un autre exemple de la façon dont il est possible pour chacun de changer sa vie, peu importe les défis à relever. Pour bien des gens, le sujet de l'homosexualité en est un qui est encore difficile à aborder.

Beaucoup de personnes souffrent inutilement, sont tristes et déprimées parce qu'elles sentent qu'elles ne peuvent pas ÊTRE la personne qu'elles voudraient être. Pour l'amour de vous, soyez exactement la personne que vous êtes. Retrouvez confiance en vous et regagnez l'estime de vous-même pour être toujours heureux à l'intérieur. Vous pouvez en apprendre davantage à ce sujet au www.bethemaster.com.

5

LE POUVOIR DU SUBCONSCIENT

La pensée positive est tel un bouquet de fleurs d'une exquise beauté et la plus belle note de musique produite par un instrument. C'est le plus grand pas vers notre évolution, notre transformation. La pensée positive ouvre toutes les portes; c'est le moment magique au cours duquel les mots sont transformés en une manifestation puissante.

Nos pensées s'évaporent comme une note de musique dans l'air, créant une mélodie qui envoie des vibrations subtiles à nos sentiments intérieurs. L'effet produit par les pensées positives reflète notre élévation personnelle et celle des autres autour de nous. La pensée positive est une énergie puissante. Elle nous permet de voir tous les bons côtés de la vie, des choses et des gens. Selon nos exigences personnelles et la façon dont nous les formulons dans l'énergie universelle de la pensée positive, notre subconscient concrétisera nos pensées en réalités. Faites attention sur ce plan; il peut aussi manifester toutes les pensées négatives que vous pourriez entretenir.

Il est important de vous concentrer sur vos buts en ayant des pensées positives parce que votre cerveau retient une pensée à la fois. Lorsque vous envoyez vos buts et vos objectifs (un à la fois) à votre subconscient et que vous répétez constamment ces buts dans votre esprit, votre subconscient n'a d'autre choix que de vous livrer ces buts tout en couleurs, c'est-à-dire dans la vraie réalité.

Saviez-vous qu'une pensée ne prend qu'une toute petite seconde pour cheminer partout dans le monde? Ensuite, elle nous revient trois fois plus forte. Lorsque vous envoyez une pensée, par exemple, je me sens bien aujourd'hui et j'aurai une merveilleuse journée, vous vous sentez immédiatement mieux. C'est là que réside le pouvoir du subconscient. Il traduit nos pensées en réalités pour satisfaire nos désirs.

Les pensées positives diffusent de l'amour, de la passion et de la bonté. Elles deviennent comme des fruits délicieux vous permettant de savourer instantanément leur saveur. Leur énergie, telle une potion magique, nous propulse vers la vie que nous désirons. Toutefois, nous devons corriger toute pensée qui pourrait endommager notre subconscient. Les pensées négatives doivent quitter notre esprit dès l'instant où elles s'y infiltrent. Avez-vous remarqué de quelle manière nous pouvons être notre ennemi le plus dangereux? Être conscient de nos pensées nous permet de transformer nos pensées négatives en pensées positives et d'augmenter ainsi les bonnes vibrations autour de nous. C'est ce qui nous mène à la réalisation de nos buts.

Nous sommes les porte-parole de nos pensées et nous pouvons nous donner le cadeau de la pensée positive. Nous gagnerons la course de la vie lorsque nous serons *LE* phare sur notre propre route. La lumière resplendissante nous guide vers des événements exceptionnels qui illuminent les autres afin qu'ils puissent eux aussi profiter des effets de la pensée positive.

Dans mon cas, la méditation, la polarité et la visualisation m'aident autant dans ma vie quotidienne qu'avant une course. Je médite et je cherche la paix intérieure avant chaque course. Pourquoi? Parce que je veux être protégée. Je veux amener ma création personnelle, c'est-à-dire moi, à un endroit sûr durant toutes les années que je ferai de la course. J'imagine une belle bulle de protection qui m'entoure ainsi que tous les autres pilotes et toute la piste de course. Je demande qu'il n'y ait aucun accident majeur ou fatal durant la course, et ce, pour toutes les personnes impliquées.

La méditation est puissante. Il est recommandé de méditer au moins quelques fois par semaine et même sur une base quotidienne. Certaines personnes le font durant une ou deux heures par jour et je suis certaine qu'il y a des avantages à méditer aussi longtemps. Par contre, je pense bien humblement que je ne suis pas rendue à ce niveau encore. Je suis contente lorsque j'arrive à méditer durant quinze à trente minutes par jour. Quand je peux méditer plus longtemps, je sens une plus grande paix intérieure et un meilleur équilibre dans mon cœur et mon âme. Vous devez trouver le moment idéal pour méditer. Je crois que ce n'est pas la durée de la méditation, mais l'intensité, l'intention ainsi que la profondeur qui comptent.

La méditation peut être aussi simple que de flâner dans un pré, le long d'une allée de jardin ou sur une plage en admirant la merveilleuse beauté d'un coucher de soleil, en vous laissant porter par l'immensité de l'océan, le chant des oiseaux ou la myriade de sons de la nature. Relaxez. Laissez voguer votre imagination. Visualisez cette beauté dans vos images mentales. Prélassez-vous dans cet environnement comme si vous étiez dans la forêt. Vous en sentirez immédiatement les bienfaits. Tout cela est à portée de main pour vous et pour moi. Nous devons simplement nous brancher à l'essentiel et l'apprécier.

ON EST AVEUGLES

Tout près d'un feu, un visage
Je savoure tous les bruits sauvages
Et la lune ensorcelée
Dans la nuit enflammée
Et le festin plein de charme
Mijoté à saveur de flammes
Du bûcher et de l'amour
Qui partage mes jours

REFRAIN

Le soleil nous réveille flamboyant
Et nous berce éclatant
Les fleurs s'épanouissent au printemps
Le bruit des vagues, les oiseaux chantants
Passent en silence, sans être remarqués
On est aveugles!
On est aveugles, on est aveugles

Des escapades, loin du bruit
De la ville et de tous ses cris
Rien de mieux que le silence
Et le frisson des sens
Une chandelle se consume
Comme nos corps étreints qui embrument
La raison pour apprécier
L'essentiel oublié
Dans la vraie vie, tous les jours
On avance et on cherche l'amour
Sans le voir ni la beauté
Parce qu'on est trop pressés

REFRAIN

Le soleil nous réveille flamboyant
Et nous berce éclatant
Les fleurs s'épanouissent au printemps
Le bruit des vagues, les oiseaux chantants
Passent en silence, sans être remarqués
On est aveugles!
On est aveugles, on est aveugles
Ouvrons les yeux, ouvrons les yeux.

Paroles et musique
Nadine Lajoie

Comment être méthodique et gagner du temps

Le temps est tellement précieux. Nous devons le gérer sans nous stresser, en étant méthodiques et en nous allouant le temps requis pour concrétiser nos projets. Nous devons être efficaces dans l'accomplissement de nos tâches, savoir comment calculer, comment planifier, être rationnels et réfléchir quant à ce que nous désirons. Nous devons travailler avec les deux côtés de notre cerveau (le rationnel et le créatif), organiser nos projets afin d'établir nos priorités et fixer une date de réalisation.

Personnellement, j'ai un défaut majeur : je suis très paresseuse. J'ai toujours été ainsi. Étant donné que je n'aime pas avoir des défauts, je l'ai transformé en quelque chose de positif. Maintenant, je dis que je suis une paresseuse méthodique parce que j'ai mis au point tellement de trucs pour travailler de façon plus efficace que j'accomplis tout mon travail beaucoup plus rapidement. Quand j'allais à l'école, j'avais trois secrets que nous pouvons tous utiliser dans différents domaines de notre vie.

Mon premier secret

Lorsque vous prenez des notes, utilisez des stylos de différentes couleurs. Pourquoi? Nos cahiers de notes deviennent plus vivants et créatifs, surtout si nous ajoutons un peu d'illustrations. Notre cerveau comporte deux côtés, un qui est plus rationnel et l'autre qui est plus créatif. Lorsque nous sommes à l'école ou à une conférence en train de prendre des notes, le côté rationnel travaille pendant que le côté créatif paresse. En ajoutant des couleurs et des dessins à nos notes, nous invitons notre côté artistique à étudier aussi, ce qui accélère le processus. Alors, lorsque je parle de l'inconscient, c'est vraiment très important. Je n'ai pas créé ce concept, il y a plein d'études qui le soutiennent et je peux vous dire par expérience que cette méthode fonctionne!

Mon deuxième secret

Je prépare et j'étudie mes notes le soir, mais j'arrête dix minutes avant d'aller au lit. Il est nécessaire de prendre une pause. Méditez, lisez, allez faire une promenade dehors ou faites ce qui vous aide à relaxer votre cerveau. Par la suite, prenez vos notes et placez-les sous votre oreiller. Vous déposez votre tête sur celles-ci lorsque vous êtes étendu et vous dites à votre subconscient ce qui suit : « Maintenant, c'est le temps pour moi de me reposer. J'ai besoin de sommeil et j'aimerais que tu étudies pour moi pendant que je dors. » Je sais que cela semble saugrenu, mais quelqu'un m'a donné cette clé pour étudier efficacement lorsque j'allais à l'école. En l'utilisant, j'ai très bien réussi dans mes études.

Mon troisième secret

Le troisième secret est d'enregistrer vos notes, soit avec un magnétophone ou un lecteur MP3. La technologie fait en sorte qu'il est facile d'étudier durant la nuit, lorsque vous faites une promenade, en conduisant votre voiture, ou assis du côté passager. Vous pouvez utiliser votre casque d'écoute et écouter vos notes. C'est un peu comme lorsque nous écoutons une chanson vingt ou trente minutes ou encore plusieurs fois durant une courte période de temps; même si nous ne portons pas attention aux paroles, nous finissons par les savoir par cœur. Si cela fonctionne pour une chanson, c'est donc dire que ça fonctionne pour les études.

Laissez votre subconscient travailler par lui-même

Les gens me demandent souvent : « Comment pouvons-nous apprendre et nous souvenir de cette information lorsque nous plaçons les notes sous notre oreiller et que nos yeux sont fermés? »

Nos yeux sont reliés à notre corps physique, mais nous n'avons pas besoin de nos yeux pour communiquer avec notre subconscient. Parfois, lorsque nous nous couchons et méditons ou pensons à quelque chose ou que nous avons une question en tête, nous nous réveillons souvent le matin avec la réponse ou une idée quelconque. Nous n'avons pas besoin que nos yeux soient ouverts; il est important de laisser le subconscient travailler par lui-même.

Un autre exemple provient de toutes les photos que j'ai prises durant mon voyage et le montage que j'en ai fait. J'ai conduit sur l'autoroute A1A de Los Angeles à San Francisco et j'ai vu des paysages d'une beauté à couper le souffle, les uns après les autres. J'ai pris le Golden Gate Bridge et j'ai visité la prison d'Alcatraz. Ensuite, j'ai ajouté une photo de mon motorisé de rêve. Ce n'est pas celle que je possède maintenant, mais je l'ai incluse pour embrouiller mon subconscient en mettant d'autres choses que j'ai déjà accomplies et certaines autres qu'il me reste à réaliser.

Lorsque nous faisons nos collages, il est très utile d'ajouter autant les photos de nos rêves déjà réalisés que de ceux que nous convoitons. En faisant cela, l'inconscient travaille un peu plus fort pour faire en sorte que nous accomplissions ce qui ne s'est pas encore produit.

Plusieurs livres et CD contiennent de l'information sur la puissance de votre subconscient. Une étude plus approfondie de ce sujet pourrait vous apporter de grands bienfaits au travail et dans votre vie familiale.

Vous pouvez aussi améliorer votre efficacité et aider vos enfants à avoir un meilleur avenir en leur enseignant à puiser dans la puissance de leur subconscient. Essayez de faire une liste dans votre subconscient des habitudes que vous désirez cultiver et commencez dès aujourd'hui. Vous pourriez être surpris des résultats positifs que vous obtiendrez.

PROBLÈMES ET SACRIFICES

Des colocataires d'enfer

Quand je suis allée m'installer aux États-Unis, il m'a fallu quatre ans pour obtenir mon visa d'immigration temporaire valide pour cinq ans! Enfin, je pouvais, ou du moins je pensais que dès lors je pourrais louer un appartement en Californie dans Orange County. Bien, non! Une série de problèmes à régler m'attendait.

Même si j'avais enfin obtenu mon numéro d'assurance sociale, il n'y avait aucun propriétaire qui voulait conclure un bail avec moi pour une location d'appartement, encore moins une hypothèque pour un condo ou une maison.

Étant donné que mon visa était temporaire et qu'il ne pourrait jamais conduire à une carte verte ou un statut de résidente permanente, ils avaient tous peur que je disparaisse et qu'ils ne puissent pas percevoir leur argent à long terme, même si je leur offrais un acompte plus important, des preuves de mon solde bancaire, mon dossier de crédit au Canada, la valeur de mon bilan et ma réputation en affaires, autant aux États-Unis qu'au Canada, il n'y avait rien à faire. Donc, je devais louer une chambre ou me trouver un ou une colocataire.

Finalement, une de mes connaissances d'affaires se cherchait également un appartement, mais c'était un homme et son crédit n'était pas bon. J'avais déjà eu d'autres colocataires masculins, donc cette entente ne me dérangeait pas trop. Nous avons mis les choses au clair dès le départ dans le sens que ça n'irait jamais plus loin. Le premier obstacle était réglé.

Il fallait attaquer le deuxième : étant donné qu'il était Américain, immigré depuis plusieurs années et qu'il avait un salaire à commission, il ne pouvait pas louer l'appartement seul et je ne pouvais pas lui payer une sous-location non plus. Il a donc fallu que mon nom soit ajouté sur le bail, que je paie le dépôt supplémentaire et que je fournisse des preuves que j'avais assez d'argent en banque pour les six prochains mois. Je n'avais pas vraiment le choix.

C'était cela ou je continuais à vivre dans mon véhicule récréatif, mais après quatre ans, j'en avais assez! J'ai foncé dans l'aventure et j'ai prié pour que tout aille bien. Mes parents et mes amis n'étaient pas au courant de toute l'histoire, bien entendu. Ils ne connaissaient pas tous les détails, surtout mon père parce qu'il m'aurait fait un long sermon, comme tout bon père.

Je peux vous dire une chose, quand j'ai pris une première douche avec de la véritable eau chaude, de la véritable eau courante, de la véritable électricité, un vrai lit, un vrai logis, j'en pleurais de joie.

N'ayant pas mon visa d'immigration, entre 2006 et 2010, je vivais entre les États-Unis et le Québec. J'ai vécu quatre ans entre mon véhicule récréatif aux États-Unis et une chambre de petite dimension dans l'entrepôt à l'arrière de mon bureau à L'Île-Perrot, au Québec. Mon bureau qui était adjacent avait des fenêtres et une petite cuisine pour dépanner. Je vivais dans la gratitude d'avoir accompli tout cela et de n'avoir jamais abandonné. À mon nouvel appartement, j'allais prendre des spas le soir, je profitais de la piscine de temps à autre, et même si j'étais semi-retraitée de ma compagnie de services financiers, je travaillais très fort pour bâtir mon entreprise en Californie afin d'y demeurer en permanence.

Durant neuf mois, tout a très bien fonctionné. Nous nous entendions très bien. Plusieurs fêtes ont été organisées avec des amis, il y avait une belle chimie entre nous deux et aucune dispute. Il n'avait jamais acheté les meubles du salon comme il en avait été convenu initialement, mais cela ne me dérangeait pas. J'étais souvent en voyage ou je travaillais dans ma chambre. Donc vivre avec un salon vide n'était pas un problème! Je sais que plusieurs ne pourraient pas s'en passer, tout comme leur téléviseur de 106cm, mais pour moi, cela me convenait.

Pour la première fois de ma vie, à l'âge de 40 ans, j'ai acheté mes premiers meubles neufs à mon goût pour la cuisine et ma chambre, en bois d'acajou de couleur bourgogne et un assortiment complet de vaisselle, d'ustensiles, de casseroles, de poêlons, etc. J'étais au paradis!

À part le fait de m'ennuyer de ma belle Lexus ou de ma Mercedes décapotable que j'avais dû vendre avant 2006 pour avoir les moyens financiers de faire de la course de motos. Ce n'était que des compromis que j'avais dû faire pour vivre la vie dont je rêvais. Je n'étais pas dépensière ni matérialiste et je détestais courir les magasins, mais au moins, je vivais mon rêve de vivre officiellement aux États-Unis.

Je sais qu'il y en a plusieurs parmi vous qui pensez peut-être : *rien que ça?* Mais pour moi, même si j'aimais les belles choses, c'était loin d'être mon *focus*. J'aimais mieux dépenser mon argent pour faire des courses de moto et payer deux à trois mille dollars pour un week-end aux courses ou pour acheter un ensemble de pneus supplémentaires qui coûtaient quelques centaines de dollars. Le monde à l'envers, je sais... À chacun ses priorités!

Les choses commençaient à s'améliorer pour moi, je commençais à me sentir chez moi, à me bâtir des racines, mais tout a été chamboulé en février 2011.

Mon colocataire a perdu un de ses deux emplois, celui avec lequel il gagnait le plus de commissions dans une compagnie de réseau de marketing et où il était directeur du développement des affaires. Donc, il n'avait pas d'argent pour payer son loyer ce mois-là. Il m'a donc demandé de payer pour lui. Il était aussi chef de production pour un film et travaillait sur un ou deux projets qui progressaient bien. Grâce à ses talents de vendeur et à sa personnalité, nous étions tous les deux assurés qu'il allait trouver un autre emploi rapidement.

Le mois suivant, j'ai dû également payer sa part et il devait me la rembourser le plut tôt possible. Par contre, après quelques mois, il me devait encore deux mois de loyer alors que je devais partir faire plusieurs courses de moto et donner des conférences à San Francisco, Salt Lake City et Las Vegas. Comme j'allais être sur la route durant six semaines, je lui avais demandé avant de partir s'il pensait pouvoir payer le prochain loyer. Il m'avait répondu de ne pas m'inquiéter que tout était sous contrôle. Je suis donc partie la tête en paix, mais j'avais quand même pris la précaution de cacher un chèque, au cas où...

Comme je l'avais pressenti, une semaine plus tard, j'ai reçu un appel de ma propriétaire disant que si je ne payais pas sa part le lendemain, qu'elle allait nous faire parvenir une lettre d'éviction!

De mon véhicule récréatif, j'essayais de lui expliquer qu'à San Francisco, il me serait impossible de trouver une banque et un Fedex ou UPS où je pourrais garer mon train routier pour lui faire parvenir un chèque. Tout était très montagneux et très serré à San Francisco et durant le jour, j'assistais à une conférence. Je pouvais payer par carte de crédit, PayPal ou par téléphone, mais elle refusait cette option. Elle ne voulait pas non plus accepter le chèque que j'avais *caché* avant mon départ, elle voulait un chèque certifié!

J'ai fait tout mon possible, mais je suis arrivée cinq minutes trop tard pour envoyer un courrier qu'elle recevrait le lendemain. Je l'ai rappelée lui disant que le chèque arriverait dans deux jours, mais elle n'a rien voulu entendre. J'avais établi mon crédit aux États-Unis et tous mes efforts allaient s'envoler en fumée avec une lettre d'éviction. J'étais au désespoir et j'ai pleuré durant toute la nuit…

J'ai téléphoné à mon colocataire, je lui ai parlé du chèque que j'avais caché et je lui ai dit d'aller négocier avec elle pour qu'elle l'encaisse, ce qu'il a finalement réussi à faire grâce à ses talents de vendeur... Ouf! Je l'avais échappé belle!

Mais devinez quoi? Le propriétaire a encaissé les deux chèques, en plus des deux loyers que j'avais déjà payés, pour un total de 3 200 $! Je n'avais plus assez d'argent dans mon compte (il fallait trois à cinq jours ouvrables pour effectuer un transfert d'argent de mon compte bancaire canadien à mon compte américain). J'ai donc manqué de liquidités et quelques autres comptes n'ont pas pu être payés à temps à cause de quelqu'un qui n'a pas pris ses responsabilités ni respecté sa parole, en plus de l'erreur du propriétaire. J'étais donc exaspérée.

J'ai entrepris des démarches pour évincer mon colocataire en me disant que je trouverais bien quelqu'un d'autre, mais il ne voulait pas partir et je ne possédais aucun moyen au plan juridique pour le forcer à quitter l'appartement. Je devais partir à nouveau sur la route le mois suivant. J'ai donc dû annuler ma dernière course de moto et revenir plus tôt pour me trouver un autre endroit et déménager, et ce, en une dizaine de jours seulement, ce qui m'a fait vivre mon deuxième cauchemar.

J'ai trouvé une femme et sa fille qui avaient un beau condo à Newport Beach avec vue sur la mer, à une quinzaine de minutes à pied de la plage. C'était une femme spirituelle, entrepreneure aussi et la chimie passait bien entre nous. Je me suis dit : « Wow, c'est encore mieux, c'est vraiment mon rêve, avec vue sur l'océan et les couchers de soleil, je suis aux petits oiseaux! » J'avais quatre jours pour m'installer et je repartais pour deux semaines à Squamish en Colombie Britanique pour participer à l'atelier *Warrior* donné par Peak Potential.

Trois amis m'ont aidée à déménager et, dès la première journée, la colocataire m'a rappelé que je n'avais pas le droit d'amener des hommes dans la maison, comme nous en avions convenu, car sa fille n'avait que 14 ans. Ils devaient repartir le plus rapidement possible. J'ai pensé qu'elle avait voulu dire qu'elle ne voulait pas d'hommes qui couchaient à la maison. Qui peut empêcher quelqu'un d'amener un homme, un ami, durant la journée?

J'étais un peu perplexe et déçue, mais je lui ai expliqué que mon assistant allait revenir le lendemain pour m'aider à placer les choses pendant que sa fille serait absente! Finalement, j'ai réussi à la convaincre qu'il aurait quitté avant 16 heures. Malheureusement, sa fille est arrivée plus tôt... ce fut notre premier argument!

Environ quinze jours plus tard, je suis revenue d'une semaine super épuisante, je me suis couchée en arrivant, crevée, et je me suis réveillée vers 22 heures, incapable de me rendormir et n'ayant pas le goût de travailler. J'ai décidé d'aller au Villa Nova, mon endroit préféré où il y avait un piano-bar, animé par

Dave Alcantar qui connaissait toutes les chansons de *Journey* et, en plus, il me faisait toujours chanter deux ou trois de mes chansons. Une belle petite soirée en perspective!

J'ai rencontré un beau groupe qui célébrait l'anniversaire d'une amie. Me voyant seule, ils m'ont proposé de me joindre à eux et, finalement, nous avons fermé le bar. Par la suite, nous sommes allés manger une pizza et je suis arrivée à la maison à 4 heures. Lorsque je me suis levée dans l'après-midi, j'ai lu un texto horrible sur mon portable. La propriétaire me donnait un avis de trente jours pour quitter l'appartement, elle ne pouvait pas accepter qu'une dévergondée de mon genre (elle m'a traitée de tous les noms!) vive avec elles.

J'étais en larmes, je lui ai dit de se calmer, que nous en discuterions le lendemain, de laisser retomber la poussière et que nous trouverions une façon de nous organiser, mais en vain. Je devais partir. J'avais peu de temps pour trouver un autre endroit, je repartais sur la route et j'avais seulement quelques jours pour déménager à la fin du mois. Malgré ma déprime, je devais prendre mon courage à deux mains. Je n'avais pas le temps de m'apitoyer sur mon sort et je n'avais aucune famille ni ami qui pouvait me dépanner en Californie, ni personne pour me consoler.

J'étais vraiment seule au monde, j'avais beaucoup de travail, j'étais incapable de me libérer et, maintenant, je faisais face à un deuxième déménagement en trois mois, et cela, à travers d'autres voyages, des courses de moto et des conférences... Je fulminais, la fumée me sortait par les oreilles. Je pleurais et je me demandais pourquoi il me fallait affronter autant de désagréments et de défis!

Finalement, j'ai trouvé quelqu'un d'autre sur *Craigslist* qui voulait louer une partie de son petit condo. Elle était une autre femme spirituelle, qui avait de bonnes valeurs.

Je lui ai expliqué qu'habituellement je me levais tard et que comme je dormais d'un sommeil profond, elle n'avait pas besoin de s'empêcher de faire du bruit.

Je lui ai aussi dit que je passerais pratiquement tout mon temps dans ma chambre, que je travaillais souvent très tard la nuit sur mon ordinateur, sans aucun bruit, que j'avais souvent des réunions, que je sortais souvent le soir vers 22 heures pour aller danser la salsa ou chanter pour me divertir et m'exercer au karaoké à chanter les chansons de mes conférences. Je ne faisais pas beaucoup de bruit, à part des appels dans la journée pour mon travail et que j'étais à l'extérieur de dix à quinze jours par mois.

Je lui ai même demandé si elle ne pensait pas que c'était trop petit pour elle, car elle était souvent à la maison en même temps que moi. Elle m'a souligné que cette cohabitation ne soulevait pas de problèmes.

Quel n'a pas été mon étonnement quand, après trois mois, je suis revenue d'un voyage de trois semaines, vers le 19 décembre, qu'elle me demande de partir après les fêtes! Je pensais vivre tranquillement la période des fêtes, je reprenais l'avion quelques jours plus tard pour aller visiter mes parents en Floride et mon copain à l'époque pour deux ou trois semaines... Me voilà donc encore prise à me chercher un autre appartement à distance et écourter mon voyage. Oublions les quelques jours de vacances sans stress ni anxiété! Comment allais-je régler cette situation?

J'en ai discuté avec mon copain, car nous entretenions le projet d'emménager ensemble quelques mois plus tard et il devait de son côté déménager au cours du prochain mois, car il ne s'entendait plus avec sa colocataire. Plus tard, j'ai appris que sa colocataire était son ex-femme lors d'un appel téléphonique de cette dernière. Toute une autre histoire! Après de nombreuses discussions et des nuits blanches, nous avons décidé de faire le grand saut et j'ai réussi à avoir une petite prolongation d'un autre mois et de déménager qu'en février.

Heureusement, ou plutôt malheureusement, je me suis souvenue de mon amie massothérapeute qui avait une superbe maison avec double patio sur un lac à Irvine, Californie, qui louait des chambres. Je lui ai demandé si elle en avait une à louer. J'ai été chanceuse, quelqu'un partait une semaine après que j'avais besoin d'emménager, mais étant donné que je louais le salon pour mettre mon bureau en plus de la chambre (comme on serait deux, avoir deux pièces et séparer le bureau aurait été l'idéal), on pouvait dormir là en attendant et mettre mes meubles dans le garage. Je n'avais pas vraiment le choix de toute façon!

Ce n'était pas très luxueux, mais nous allions vivre au bord d'un lac avec sentier pédestre, piscine, spa, etc. La belle vie qui frappait à ma porte... Du moins, c'était ce que je croyais...

Mon copain est arrivé après la Saint-Valentin et tout a été placé rapidement.

Superbe endroit, mais la mauvaise nouvelle est tombée au cours de la première semaine : la propriétaire m'a annoncé qu'elle était à court d'argent et qu'elle devait prendre un locataire supplémentaire qui partagerait également notre salle de bain et qu'elle et sa fille vivraient dans le salon adjacent à mon bureau et à la cuisine.

Donc, plutôt que de vivre avec trois colocataires dont deux qui ne seraient pratiquement jamais là, nous nous sommes retrouvés à quatre, partageant tous la cuisine, (adjacente à mon bureau) et à trois personnes qui partageraient la même salle de bain que nous. Deux autres personnes devraient passer par notre chambre pour prendre leur douche. Non, mais, ça n'avait aucun sens!

Pour ajouter au malheur grandissant, nous avons appris qu'elle avait changé de locataires trois fois en huit mois. Il y avait un brouhaha et un va-et-vient constant. De plus, la fête juive allait débuter sous peu et son fils a décidé de venir la visiter, de passer quelques jours avec elle et, finalement, quatorze personnes sont venues lui rendre visite, dont six qui sont restées dans la maison avec nous. Je pensais qu'elle blaguait au début, mais non! Je ne suis pas contre aucune religion, mais quand ils viennent prendre le monopole de la maison, qu'ils nous imposent des restrictions telles que garder les lumières allumées ou éteintes, ne pas pouvoir utiliser la cuisine, le réfrigérateur, ne pas porter de manches courtes, de décolletés ou de pantalons courts durant leur séjour et qu'ils doivent nous expliquer 133 règles que nous devons respecter, il y a tout de même des limites.

Elle a finalement décidé d'acheter un petit réfrigérateur et un four micro-ondes (qu'elle a retournés au magasin après quelques jours!) qu'elle avait placés dans mon bureau. Elle a aussi utilisé des nappes de plastique qu'elle a accrochées au plafond pour que sa famille ne nous voit pas durant leur séjour dans les moments où nous devions travailler à notre bureau! Elle a aussi monté au sol une petite clôture de cage à chiens pour nous isoler et pour que les enfants ne viennent pas de notre côté. Vraiment incroyable!… comme dans des films de mauvais goût! Je n'exagère en rien.

Elle a essayé de nous faire quitter l'appartement pour avoir notre chambre, mais je n'avais pas le temps ni l'énergie d'un autre déménagement et je vous assure qu'il aurait fallu qu'elle demande l'aide des policiers pour nous sortir de là! Elle a essayé jusqu'à la dernière journée, elle nous a intimé de partir et nous donnait jusqu'à treize heures pour évacuer les lieux. Il n'en était aucunement question... Donc, tout le monde a dû endurer cette épreuve durant cinq jours, et cela, sans aucun dédomma-gement pour tout le tracas!

Avec tout ce stress et tous les autres problèmes qui se sont présentés durant cette période, en plus de l'adaptation avec un nouveau copain qui venait vivre avec moi, vous pouvez facilement imaginer que cette relation n'a pas duré. Au bout de huit mois à cet endroit, je me suis retrouvée célibataire à chercher un autre appartement.

Souvenez-vous que comme j'étais Canadienne, mon visa aux États-Unis n'étant que temporaire, je ne pouvais toujours pas louer d'appartement. J'ai dû trouver une chambre dans la ville d'Orange avec une mère et ses deux jeunes adultes ainsi qu'un autre colocataire, mais dans une grande maison... Enfin, j'ai retrouvé la paix. Cette dame m'a aidée comme une mère. En lui payant quelques dollars de plus, elle faisait mon lavage, mon épicerie, mon ménage, me conduisait à l'aéroport et allait déposer mes chèques quand j'étais sur la route, habituellement une quinzaine de jours par mois. C'était une combinaison parfaite! Youpi! Enfin…

La plupart du temps, on envie nos voisins ou nos amis, et je me faisais souvent envier, surtout depuis que je vivais en Californie et que je voyageais beaucoup, mais on ne réalise pas toujours tous les efforts et toutes les histoires horribles qui font partie de la vie des gens.

L'entêtement d'une immigrante

Voici une autre histoire qui pourrait sembler exagérée et tirée par les cheveux, mais malheureusement, elle est vraie. Elle concerne toutes les difficultés pour réussir à obtenir un visa permanent.

(Extrait de l'article écrit par Cheryl Snapp-Conner et qui a paru dans le magazine Forbes.)

Je suis tellement heureuse qu'on ait écrit un article à mon sujet dans le magazine Forbes. Profitez de cet extrait et lisez l'article complet.

Nadine Lajoie n'était pas heureuse et jonglait avec des pensées négatives au cours de sa jeunesse au Québec. Elle a grandi sur une ferme d'élevage de poulets. Elle doit son succès international à l'entêtement d'une immigrante. Sa devise dans la vie, c'est de ne jamais abandonner.

Elle se plaint de la difficulté d'immigrer légalement aux États-Unis : « Même si vous avez de l'argent, que vous démarrez une entreprise et vous employez des personnes, les conditions sont très strictes et la bureaucratie est absurde », dit-elle.

Il lui a fallu quatre ans et deux refus avant d'obtenir son visa d'immi-gration E-2 pour pouvoir exploiter son entreprise aux États-Unis. « Maintenant, je comprends pourquoi il y a tellement d'immigrants illégaux ici », dit-elle.

Grâce à son entreprise immobilière, elle a investi dans 14 maisons dans trois états différents et a procuré des emplois à plus de vingt-cinq personnes, et cela, jusqu'à présent. Elle attribue son succès en affaires à sa mentalité de championne, en utilisant ses connaissances en musique et dans les sports. Une ancienne championne de courses de moto (300 km à l'heure), elle a développé ce qu'elle appelle désormais Les cinq secrets des gens très performants :

Focus

Adrénaline

Discipline

Coaching

Pratique

À son arrivée aux États-Unis en 2007, Nadine parlait peu anglais, mais elle a participé aux meilleures conférences qu'elle pouvait trouver et a appris d'entrepreneurs immobiliers à succès. Les concepts ont été redoutables et la barrière de la langue l'a frustrée à maintes reprises.

Elle a ajouté d'autres qualités à son arsenal : « Être têtue et ne jamais abandonner. » Enfin, un petit succès, puis la crise en immobilier aux États-Unis a contrecarré ses victoires durement acquises.

Elle n'a perdu que 500 $ sur une transaction, mais elle a été affligée d'une nouvelle série de défis, car il lui a fallu six semaines pour ouvrir un compte bancaire; les compagnies d'assurance la refusant au début et les entreprises de gaz, d'électricité et d'eau ne pouvaient pas fournir les services à ses maisons parce qu'elle n'avait pas de numéro d'assurance sociale.

Elle ne pouvait pas l'obtenir sans visa d'immigration, ce qui exige « d'avoir une somme importante d'investissements à risque déjà investie aux États-Unis et de créer des emplois... » *Tout cela sans un numéro d'assurance sociale? Un vrai cercle vicieux.*

Fidèle à sa devise, Nadine n'a jamais abandonné.

Elle est devenue millionnaire à l'âge de 41 ans et elle a fait des apparitions à USA Today, sur les chaînes ABC, Fox et CBS ainsi que sur MoneyWatch, *entre autres.*

Elle est l'auteure de Gagner la course de sa vie à 300 km/h avec équilibre et passion. *Elle a également prouvé de façon irréfutable que cette obstination brute et cette force de volonté peuvent être des traits de caractère d'une valeur inestimable.*

Vous pouvez lire l'article complet portant sur d'autres entrepreneurs immigrés à l'adresse qui suit :

ForbesArticle

http://www.forbes.com/sites/cherylsnappconner/2014/05/20/business-lessons-from-immigrant-entrepreneurs/

SORTEZ DE VOTRE ZONE DE CONFORT

Sortir de sa zone de confort exige de s'éveiller et de se propulser au cœur même de nos rêves.

Durant des années, nous avons vécu dans un état d'endormissement sans réaliser que nous passions à côté de ce que nous voulions vraiment. Nous pensions peut-être que nous avions tout ce que nous désirions dans la vie, mais quelque chose nous manquait. Nous n'étions pas satisfaits de ce qui nous entoure. Nous voulions fuir, mais comment et où?

Cessez d'avoir peur et foncez sur la route de la victoire. Oui, vous pouvez y arriver en ayant confiance, en écoutant votre petite voix intérieure qui vous dit de suivre votre voie, de vous mettre dans la file avec les autres, d'analyser votre parcours et d'avoir foi que vous traverserez la ligne d'arrivée et conserverez votre avance.

Vous savez que vous avez fait vos exercices pour maintenir votre équilibre dans les courbes, vous avez testé la route, vous faites partie des leaders, mais vous continuez à suer abondamment. Vous prenez une grande inspiration, vous foncez malgré la peur et vous vous placez dans la file pour commencer votre course.

Pour vous y rendre, vous devez trouver votre passion, la raviver, équilibrer votre vie et retrouver la confiance en vous. Vous devez absolument vous sentir vivant et confiant parce que votre routine quotidienne était comme une corde attachée à votre cou qui vous empêchait d'aller de l'avant. Qu'est-ce que cette corde? Est-ce la peur de l'échec? Est-ce la peur du succès? Cherchez à l'intérieur de vous.

Il n'y a pas de moment idéal pour passer à l'action, pour faire le premier pas afin de créer la vie que nous désirons. Pensez aux résultats et la force vous arrivera lorsque vous en aurez besoin. Nous connaissons nos propres limites, nous nous testons et nous avons confiance en la personne que nous sommes. Soyez vous-même dans tout ce que vous faites. Allez puiser dans votre *pouvoir* intérieur. Laissez-le vous guider.

Les actions sont tellement importantes que dans mon acronyme C.O.U.R.S.E., j'ai ajouté deux autres choses reliées aux actions.

La première est : *agissez en prenant un virage à la fois*, ce qui signifie de faire des petits pas, tout comme un bébé, mettre un pied devant l'autre tout en continuant de marcher pour sortir de votre zone de confort.

La deuxième : *faites-le*. Cela implique d'aller au-delà de vous-même pour passer à l'action en faisant des choses importantes et en prenant de la vitesse pour réaliser vos rêves. Plus vous avez de puissance à l'intérieur et à l'extérieur de vous (comme les chevaux-vapeur d'une moto), plus vous pouvez avancer rapidement.

Je suis convaincue qu'il existe une puissance, quelque chose de plus grand que nous, quelque chose qui peut nous aider : Dieu, Allah, Bouddha, l'univers cosmique, l'énergie cosmique, utilisez le nom qui vous convient le mieux. Notre travail d'introspection nous permet de découvrir cette puissance et de puiser en elle. Cet apprentissage universel est crucial.

Cette puissance intérieure peut être représentée par un moteur fusionné avec un cœur humain. Le moteur est la puissance de notre moto, notre monde physique, tandis que le cœur représente notre propre *pouvoir* intérieur, notre âme, notre engagement.

Dans la vie, nous avons besoin d'aide, que ce soit venant de la famille, d'amis ou de nous-mêmes. Nous avons également besoin d'une puissance plus élevée que la nôtre.

Le Grand Canyon est l'exemple le plus puissant et le meilleur que j'ai trouvé; c'est l'un des plus beaux endroits au monde. Qui l'a créé? Combien y a-t-il d'autres beautés de ce genre qui existent autour de nous et dont nous ne pouvons expliquer la provenance? Quelle est cette grande puissance? Pensez-y. C'est magique, incompréhensible…

La musique et les émotions

La musique est aussi un outil merveilleux pour nous aider à nous intérioriser. Elle nous aide à découvrir notre pouvoir et aussi à exprimer nos émotions. Une merveilleuse chanson d'amour au son de la guitare aidera les hommes de la terre à mettre fin aux guerres et amènera la paix partout dans le monde. Chaque être humain doit apprendre que l'amour est la beauté de la vie.

Le piano a été la première de mes passions. J'ai débuté à l'âge de cinq ans. La musique a éveillé beaucoup d'émotions en moi autant que cette passion que j'avais pour le piano. Chaque fois que j'étais de mauvaise humeur, peinée, je jouais du piano ce qui m'aidait à m'apaiser et à extérioriser mes sentiments de rage, de colère, de joie, de peine, et autres.

Chaque passion que vous avez, que ce soit la musique, un sport, l'informatique, l'écriture, l'horticulture, les animaux, tous vos objectifs, vos rêves, toutes ces passions sont des moyens de vous *recentrer* afin de faire jaillir votre *pouvoir*. Que ce soit en introspection, en extériorisation, toutes les valeurs que vous avez feront ressortir ce qu'il y a de meilleur en vous.

Un autre exemple d'une occasion de sortir de ma zone de confort et de réussir mieux que prévu était lorsque je jouais du piano, la première de mes passions. J'ai atteint le onzième niveau en seulement sept ans. J'avais besoin de sortir de ma zone de confort et de faire beaucoup de sacrifices pour avancer rapidement. Je n'avais jamais le temps de jouer dehors avec mes amis. La dernière année, j'ai presque abandonné parce que mon professeur, Sœur Carmen, a déménagé à plus d'une heure de chez moi et elle pouvait m'enseigner qu'une fois toutes les deux ou trois semaines.

Toutefois, mes parents m'ont forcée à continuer et j'ai réussi à atteindre mon but. J'ai même négocié avec eux pour peindre le piano *rose pâle* et placer un miroir devant les notes pour ne plus me sentir trop seule lorsque je m'exerçais. Pouvez-vous imaginer?

Les exercices contenus dans ce livre ainsi que les méthodes d'enseignement que j'ai incluses sont conçus pour vous aider à travailler avec votre énergie et vos émotions.

Pour réussir dans la vie, nous avons besoin de nous concentrer sur nos réalisations et surmonter nos peurs et nos problèmes. Sortir de notre zone de confort est l'un des secrets de la réussite. Plus vous dépassez les limites que vous vous êtes imposées, plus vous enregistrez de réussites marquantes et prodigieuses.

Lorsque je parle de vous dépasser, je veux dire d'avoir une vie équilibrée à l'extrême, c'est d'ailleurs ce que je fais continuellement. Un jour, je peux aller faire une course de moto à 300 kilomètres à l'heure, entretenir la mécanique moi-même et agir comme un *homme*. Un autre jour, je peux être une vraie femme, m'habiller pour aller à un gala et passer une soirée somptueuse dans un hôtel 5 étoiles. Je peux aussi être une musicienne et une mathématicienne.

Il est très important d'équilibrer nos deux côtés : le yin et le yang, le cerveau gauche et le cerveau droit, notre côté rationnel travaillant avec notre côté créatif. Équilibrez votre vie. Sortez de votre zone de confort!

Une des leçons les plus utiles que j'ai apprises est d'être fidèle à soi-même. J'ai toujours été très méthodique, très concentrée et très dévouée. J'ai dû adopter cette discipline que je m'imposais lorsque j'apprenais le piano parce que je voulais faire du sport avec mes amis. Je devais me concentrer sur mes travaux scolaires et mes leçons de piano avant d'aller jouer avec eux.

Tout au long de votre parcours de vie, vous aurez à affronter des défis. Disciplinez-vous en apprenant à mener plusieurs tâches de front. Vous devez vous concentrer sur vos rêves futurs en même temps que sur votre vie présente. Mais ne négligez jamais vos travaux scolaires ou votre emploi, votre santé, vos buts, votre famille et vos relations personnelles.

Souvenez-vous de prendre du temps pour vous reposer et vous réénergiser. Prenez des vacances ou passez du temps en silence sans musique, à ne rien faire. Offrez-vous un cadeau. Je vous suggère de ne pas écouter de musique ou de fermer la radio lorsque vous conduisez et d'être seulement dans le moment présent avec vous-même, en silence. La personne la plus importante dans votre vie, c'est vous, votre santé, votre bien-être. Prenez bien soin de vous.

Une de mes dernières compositions est une chanson bilingue *Peaceful Warrior.* Vous pouvez l'écouter et regarder la vidéo sur YouTube (http://youtu.be/-CENvdMbBP4). Cette chanson transcende une super belle énergie et une force intérieure qui peut vous aider dans votre cheminement.

Peaceful Warrior / Guerrier Paisible

Peaceful warrior
Find your true power
Inside of your heart and your soul
Trust yourself and your gut to reach your goals
With strength you will reach the stars
So many people's lives
Who need to strive
My inner power will drive
Their own destiny thru their own sky
I must continue the ride

Guerrier paisible
Trouve ton vrai pouvoir
À l'intérieur de ton cœur et ton âme
Fais-toi confiance et à ton intuition pour atteindre tes buts
Avec puissance tu atteindras les étoiles
Tant de vies de gens
Ont besoin de prospérer
Ma puissance intérieure conduira
Leur propre destin vers leur propre ciel
Je me dois de continuer mon chemin

Sur l'air et la musique *de Amazing Grace*
Paroles : Nadine Lajoie - 10 août 2011

Prenez soin de vous

Combien de semaines de vacances avez-vous prises au cours des trois derniers mois ou de la dernière ou avant-dernière année? Nous devrions toujours planifier nos vacances au début de l'année en donnant priorité dans notre esprit à notre droit de prendre une pause du stress de la vie.

Les vacances sont un temps de repos; un moment pour se retrouver avec nos amis, lire un livre d'inspiration, profiter d'un coucher de soleil ou prendre grand plaisir à profiter de la nature; un moment pour faire quelque chose qui nous rend heureux. Les vacances passées à la maison ne sont pas des vacances.

Planifiez de laisser votre environnement habituel pour changer totalement de paysage et de rythme. Je ne dis pas seulement d'avoir du plaisir durant une journée ou une semaine! Je suggère de vous allouer 10 ou 20 % de votre temps afin de vous rendre heureux et de vous remplir d'énergie et de calme.

Quel sport ou quelle activité préférez-vous? Prenez-vous le temps de pratiquer ce sport ou cette activité?

Durant mon voyage de quatre mois, j'étais au paradis. Je me suis fait de nouveaux amis, j'ai eu du plaisir et j'ai récupéré toute mon énergie au cours de cette aventure.

Des policiers frappent à ma porte

Faire attention à vous est essentiel, mais vous devez aussi faire attention à votre environnement, vos amis, votre travail, vos employés… et faire attention aussi aux lois. Lorsque vous voyagez, il se peut que vous subissiez des désagréments mineurs durant votre périple, surtout si vous ne connaissez pas les lois des différents états. C'est ce qui m'est arrivé à Huntington Beach en Californie.

J'avais stationné mon véhicule récréatif sur une rue. J'avais de la difficulté à entrer dans la remorque parce que quelqu'un s'était garé directement derrière elle. J'ai donc dû me déplacer de l'endroit où j'étais stationnée et trouver un espace plus grand un peu plus loin sur la même rue.

Il m'a fallu quelques minutes pour me stationner à nouveau, installer ma moto dans la remorque, m'assurer que tout était bien en place avant de retourner dans mon véhicule récréatif et me glisser dans mon lit pour dormir un peu.

Trente minutes plus tard, j'ai entendu frapper à ma porte.

En jetant un coup d'œil par la fenêtre, j'ai vu des agents de police et j'ai pensé que j'avais peut-être fait trop de bruit et dérangé le voisinage. Les cinq ou six agents étaient munis de lampes de poche et ils inspectaient le contour de mon véhicule comme s'ils cherchaient un criminel. J'avais trop peur pour ouvrir ma porte.

Une voix à l'extérieur a dit :

- Nous sommes des agents de police, ouvrez-nous. Nous savons que vous vous cachez à l'intérieur.

J'ai finalement ouvert la porte.

- Que se passe-t-il? leur ai-je demandé.

- Nous voulons voir l'intérieur de votre véhicule récréatif parce que nous avons reçu une plainte comme quoi une personne essayait de voler ce véhicule et la remorque.

- Non, c'est moi, je viens juste d'arriver ici. J'étais censée aller dormir chez des amis, mais il est 1 h 30, c'est la nuit de Noël et ils ne sont pas encore revenus d'un party. Je dois rester ici jusqu'à ce qu'ils arrivent. Pourquoi y a-t-il autant d'agents de police? leur ai-je demandé.

- Nous pensions qu'il y avait des malfaiteurs qui tentaient de s'enfuir avec votre véhicule et la remorque.

- Non, non, c'est mon véhicule personnel. Voici mes papiers pour le motorisé, la remorque et mes motos. Regardez sur ma remorque. Il y a même une photo de moi ainsi que mon nom. C'est assez évident.

J'ai soutenu leur regard avec un large sourire.

Selon moi, il était assez difficile de me cacher avec un tel convoi. Ils ont fait le tour à plusieurs reprises, ont regardé à l'intérieur ainsi que dans la remorque. Finalement, ils ont bien vu que je disais la vérité. Ils avaient l'air très surpris.

- Que faites-vous ici, vous avez une plaque d'immatriculation du Québec et vous êtes en Californie, voyageant seule, m'a lancé l'agent de police d'un ton sec.

Ils ne le croyaient pas! Comme la majorité des personnes que j'ai rencontrées durant mon voyage. J'ai dû donner accès aux policiers à tous mes biens personnels et les laisser faire une fouille complète.

Je leur ai dit que mon motorisé n'avait que sept mètres de longueur. Je leur ai demandé de quelle façon ils s'attendaient à ce que j'y cache une personne. Ils ne pouvaient pas croire que j'étais aussi loin de chez moi, surtout une femme seule qui voyageait à travers différents états.

J'essayais de rester calme et de garder mon sang-froid. À un certain moment, je me suis demandé s'ils étaient de vrais policiers. Mais comme j'avais constaté qu'il y avait plusieurs voitures de police, je n'en avais plus de doutes qu'ils étaient de vrais policiers convaincus que j'étais une criminelle!

Après leur inspection finale, ils ont conclu que tout l'attirail m'appartenait. Ensuite, ils m'ont rappelé qu'il était illégal de dormir dans mon véhicule garé sur une rue de la ville. J'étais contente de les voir partir et poursuivre leur chemin.

Il était peu probable qu'on me prenne pour une voleuse, ma photo étant bien en évidence sur ma remorque. Néanmoins, j'ai décidé de me remettre en route. Je voulais éviter tout autre rencontre avec des policiers déterminés à trouver une raison pour me poursuivre en justice.

J'ai donc changé de ville au cas où ils repasseraient. Comme prévu, je les ai vus à quelques rues d'où je me trouvais!

Un samedi soir, je suis sortie de l'autoroute de la côte du Pacifique et je me suis stationnée dans une rue de la ville voisine. Pour éviter d'avoir une contravention, je me suis dit qu'il fallait que je règle mon réveil avant l'heure nécessitant que j'ajoute de l'argent dans le parcmètre

J'ai donc réglé mon réveil pour 7 h 55 croyant qu'il fallait payer à partir de 8h. Je me suis réveillée à temps, convaincue que j'allais vaincre la minuterie du parc-mètre et que je n'aurais pas de contravention. J'étais plus qu'étonnée lorsque j'ai constaté que l'heure mentionnée sur l'enseigne indiquait 6 h! Il était déjà trop tard pour éviter une contravention, mais je me suis consolée en me disant que c'était moins cher que d'avoir payé un emplacement sur un terrain de camping.

C'était le prix que je devais payer pour vivre ma glorieuse vie de bohémienne et de me promener de ville en ville! Durant tout mon voyage de seize semaines, j'ai dû payer l'équivalent de trois à quatre semaines en frais de camping ainsi que cette contravention. Ce n'était vraiment pas si mal finalement.

Le fait d'écrire cette péripétie m'a fait sourire et il m'est impossible de trouver les mots pour vous décrire le sentiment de liberté que j'ai ressenti tout au long de ce voyage. Je suis devenue tellement plus confiante en moi à cause de tout ce que j'ai fait et des gens que j'ai rencontrés.

Ce fut en même temps ma quête spirituelle, le temps était venu pour moi de faire une pause, de respirer, de relaxer et de profiter tout simplement de la vie sur les plans physique et matériel, mais également pour atteindre un niveau vibratoire plus élevé.

8

TROUVEZ L'ÉQUILIBRE

Comment pouvons-nous trouver l'équilibre dans notre vie? Pouvons-nous le faire facilement sans faire face à des obstacles? Nous sommes souvent paresseux. Oui, nous lisons des livres sur la façon de créer l'équilibre et nous faisons les exercices qui nous sont proposés. Pourquoi ne pas nous donner la meilleure occasion qui soit de réussir dans la vie? Avons-nous si peur de notre propre succès que nous le repoussons comme un livre que nous plaçons dans notre bibliothèque pour le lire plus tard? Ne laissez pas la poussière s'accumuler sur vos idées, car elle bloquera la réalisation de vos rêves et vos projets.

Dans ce chapitre, je vous enseignerai de quelles façcons vous discipliner afin de mettre en œuvre vos rêves et vos projets. Je visualise la piste, j'analyse les virages et je planifie ma stratégie. Chacun peut utiliser le même genre de stratégie pour améliorer son parcours. Soyez prêt à saisir les opportunités et à filer à toute allure vers votre victoire.

Pour créer de l'équilibre, nous devons tout d'abord comprendre comment notre cerveau fonctionne et apprendre à faire confiance à notre instinct et à nos idées. Nous devons apprendre à les saisir et à les mettre en évidence. Nous devons comprendre nos pensées conscientes et subconscientes afin de savoir de quelle façon les utiliser intelligemment. Voilà où se trouve la clé pour créer l'équilibre.

Des exemples tirés d'une de mes conférences

Lorsque je parle de détermination et de foi en nos rêves, c'est dû à l'expérience que j'ai acquise dans le domaine! Vous pensez peut-être, *oui, bien sûr, c'est très bien. Cette femme parle de ses rêves. Évidemment, elle peut le faire, mais moi je ne le peux pas.* Faisons un exercice, car le plus important, c'est de vous sentir capable de réaliser vos plus grands rêves.

Tout d'abord, vous devez avoir un rêve. Bien souvent, il s'agit d'un exercice difficile parce qu'il y a des gens qui n'en ont pas.

Cela dit, je vous invite à partager votre plus grand rêve avec une autre personne, maintenant ou plus tard, dès que vous l'aurez découvert. Parlez toujours de façon respectueuse et ouverte tout en écoutant le rêve de l'autre personne aussi.

Avez-vous remarqué que lorsque nous parlons de nos rêves, nous nous enflammons? La personne avec qui nous les partageons ressent aussi notre excitation! Avez-vous déjà observé cette interaction? Pourquoi ne parlerions-nous pas de nos rêves plus souvent si cet échange suscite ce genre d'enthousiasme?

Pourquoi donc parlons-nous toujours du passé? Pourquoi parlons-nous toujours de choses négatives?

Je vous invite à partager vos rêves avec quelques personnes pour ressentir cette excitation profondément en vous. Pourquoi le feriez-vous? Nos rêves ont besoin d'être ressentis par nos cinq sens. Ils doivent être écrits sur papier, alors écrivez-les dans votre carnet de rêves ou votre journal personnel et créez aussi un tableau de vision.

Vos rêves doivent être écrits pour les *voir* dans votre carnet et sur votre tableau. Vous devriez également ajouter des photos ou des dessins pour améliorer l'élément visuel. Sur mon tableau de vision, j'ai fixé des photos de toutes sortes de rêves que je désire réaliser et je les regarde deux à trois fois par jour. Il s'agit d'un exercice facile à faire et très motivant.

L'autre sens est *l'ouïe*; en parlant de nos rêves, nous les entendons, c'est pourquoi nous devons déclarer nos rêves à haute voix.

Toucher les mots écrits et les photos nous donne l'impression qu'ils sont vrais, tangibles et atteignables. Aussi incroyable que cela puisse paraître, *sentir* certaines choses peut nous rapprocher de la réalisation de nos rêves. Par exemple, j'aime les pays chauds; alors lorsque je sens le parfum des crèmes solaires, j'ai l'impression de m'y retrouver.

Finalement, il y a le sens du *goût*. Goûter à certains aliments ou certaines saveurs peut nous rappeler notre rêve de visiter un certain continent ou de retourner à l'endroit où nous préférons passer nos vacances.

Observez ce qui se produit lors de l'une de mes conférences lorsque je demande à des personnes de se porter volontaires pour partager leurs rêves avec moi.

- Y aurait-il quelques personnes qui accepteraient de se porter volontaires pour partager ses rêves avec nous?

J'invite une dame qui a levé la main à le faire.

- Oui, vous. Quel est votre nom?

- Pamela.

- Bonjour, Pamela. Quel est votre rêve?

- Mon rêve est d'escalader le mont Everest.

- Escalader le mont Everest?

- Oui!

- En quelle année?

- Je ne sais pas, mais une chose est certaine, je dois commencer à m'entraîner avant de le faire.

- Oui, bien sûr, il est important aussi de déterminer un moment précis. Alors, pensez-y. Faites votre carnet de rêves et écrivez une date. En faisant cela, ce sera beaucoup plus facile pour votre cerveau de trouver des moyens de le réaliser.

- D'accord.

- Merci, c'est un rêve merveilleux!

Je regarde autour.

- Une autre personne, s'il vous plaît. Votre nom?

- Erick. Je veux devenir médecin.

- Avez-vous choisi une spécialité?

- Oui, l'orthopédie. Le dos, en particulier.

- Le dos, d'accord. Pour quelle raison?

- Parce que ma mère a une scoliose.

- C'est en effet une très bonne raison. Merci d'avoir partagé votre rêve avec nous tous!

Remarquez que je demande toujours le nom de la personne. Pouvez-vous deviner pourquoi? Très souvent, nous avons un problème d'identité parce que, de nos jours, nous ne sommes que des numéros — d'employés, d'assurance sociale, de dossier, de membre et autres. C'est pour cette raison qu'il est très important d'entendre un nom.

- Quelqu'un d'autre, s'il vous plaît. Votre nom?

- Susan.

- Bonjour, Susan! Quel est votre rêve?

- Je participe à des compétitions d'équitation de type gymkhana.

- D'accord.

- Et j'aimerais aller faire de la compétition aux États-Unis.

- Parfait. En quelle année?

- Au cours des deux prochaines années.

- Au cours des deux prochaines années, ce n'est pas assez précis parce que dans dix ans vous serez encore en train de dire *au cours des deux prochaines années*. Alors, il est important de dire 2017 (si nous sommes en 2015).

- D'accord, merci.

- Une autre personne, s'il vous plaît. Bonjour! Quel est votre nom?

- Luiza.

- Oui, Luiza?

- Mon rêve est de rencontrer le prince Charles.

- Je vois. Pour quelle raison?

- Parce qu'il est beau!

- D'accord. En quelle année?

- Avant de mourir.

- Vous devez être plus précise s'il est important pour vous de réaliser ce rêve.

- En 2017?

- Y a-t-il quelque chose que vous pourriez faire maintenant pour rencontrer le prince Charles en 2017?

- Aller en Angleterre.

- C'est un grand pas. C'est une bonne idée de diviser vos rêves par étape parce que souvent le rêve en entier semble trop grand, trop énorme. Voilà pourquoi il est très important de le séparer en plus petits buts qui sont raisonnables et atteignables.

Nous pourrions faire cet exercice toute la journée. Définir nos rêves prend beaucoup de temps. Toutefois, je vous invite à communiquer avec moi sur mon site Internet www.nadineracing.com, car j'offre plusieurs exercices desquels vous pouvez tirer avantage. Ce sont des exercices que j'ai commencé à faire à l'âge de 25 ans, 30 et même 35. J'aurais bien aimé avoir été encouragée et motivée par de tels exercices durant mes années d'école!

Une des plus grandes leçons que j'ai apprise dans ma vie, c'est d'avoir une vie équilibrée et d'être fidèle à soi-même.

Comme vous le savez déjà, c'est à l'âge de cinq ans que j'ai commencé à jouer du piano et j'ai continué durant onze ans. J'étais très méthodique à l'époque, très concentrée parce que je ne faisais qu'une seule chose à la fois. Malgré la discipline que je m'étais imposée avec ces leçons de piano, je voulais aussi faire du sport avec mes amis du quartier. Je devais donc me concentrer sur mes études, mes travaux scolaires et mes leçons de piano afin d'aller jouer avec eux.

Durant votre parcours de vie, vous aurez à faire face à différents défis et vous devrez être multidisciplinaire. Plus vous serez en mesure de faire différentes choses, plus vous aurez de succès. Commencez maintenant à vous concentrer sur vos rêves et sur ce que vous voulez faire. Faites-le maintenant.

Il est également important de vous accorder du temps de repos (des vacances), des cadeaux ou d'autres choses que vous aimez. La personne la plus importante, c'est *vous*. Vous avez vraiment besoin de prendre soin de vous.

Premier exemple : je planifie toujours mes vacances au début de chaque année parce que les vacances représentent un temps de ressourcement, où vous en profitez pour être avec vos amis, lire, être dans la nature, admirer un coucher de soleil, visiter un nouvel endroit ou faire quoi que ce soit qui vous fait vraiment plaisir. Alors, mettez toujours ces formules en priorité dans votre vie. Je ne dis pas qu'il faut s'amuser continuellement, vous devez consacrer de 10 à 20 % de votre temps pour vous faire plaisir, vous remplir d'énergie et être heureux.

Deuxième exemple : quand j'étais à l'université, on me demandait souvent comment je faisais pour assister à mes cours, jouer au volleyball vingt heures par semaine et trouver du temps pour faire la fête.

Durant les week-ends, je jouais dans des tournois, même si le lundi j'étais en examen. Quand les autres étudiaient, je jouais au volleyball et j'arrivais quand même à me concentrer. Pourquoi est-il important de prendre du temps pour soi? Parce que si vous travaillez constamment votre cerveau n'arrête jamais, alors qu'il a besoin de repos. En faisant des activités que nous aimons, nous améliorons ainsi le fonction-nement de notre subconscient, nous sommes plus créatifs, plus frais et dispos. Cela nous permet d'apprendre davantage de choses plus rapidement. Voilà pourquoi nous devons trouver l'équilibre dans notre vie.

Visualisez votre avenir

Visualisez de quelle manière vous créerez et trouverez l'équilibre dans votre vie. Vous avez besoin d'alimenter vos rêves dans différents domaines et les poursuivre.

Imaginez de quelle façon vous serez perçu par les gens une fois que vous aurez trouvé l'équilibre dans votre vie. Visualisez de quelle façon vous atteindrez votre but. Imaginez comment cette réalisation aura un effet sur la vie des gens autour de vous une fois que vous aurez atteint vos buts.

Pour vous aider à visualiser votre avenir, tenez un journal. Écrivez-y tous vos rêves et tous vos buts. Dressez des listes dans votre carnet de rêves (vos buts et vos objectifs). Chacune de ces étapes vous aidera à les clarifier ainsi qu'à identifier les étapes que vous devriez entreprendre pour les réaliser.

Il arrive souvent que nous ayons un seul rêve grandiose. Il peut concerner la santé, les voyages ou autre. Lorsque nous définissons nos rêves, il est important d'en avoir au moins trois dans chacun des six domaines de la vie : physique, social, spirituel, famille, travail et financier.

Voici un autre exercice qui implique un travail d'introspection. Lorsque nous voulons réaliser un rêve, il y a une raison pour laquelle nous voulons l'atteindre.

- Qu'est-ce qui vous motive à vouloir réaliser votre rêve?
- Y a-t-il un empêchement à le réaliser?

Je vous invite à faire un travail d'introspection et à bien examiner votre vie. Écrivez tout ce à quoi vous pensez.

- Pouvez-vous définir à quel(s) moment(s) vous vous êtes éloigné de vos buts?
- Que ressentez-vous?
- Comment pouvez-vous sortir de votre zone de confort, surmonter les obstacles ou affronter vos défis?

En agissant de cette façon, vous manifesterez une attitude plus positive. Je réalise qu'il n'est pas facile de voir la forêt lorsque vous avez le nez collé sur un arbre. Je me trouve souvent dans cette situation avec certains de mes projets. Vous devez vous concentrer sur les choses importantes. Par exemple, vous avez besoin d'une attitude positive pour obtenir des résultats positifs. Après avoir fait cet exercice, vous serez prêt à affronter le prochain défi. Il vous permettra d'éliminer vos peurs et de franchir les obstacles plus facilement.

Exercice : votre carnet de rêves

Votre carnet de rêves est un autre outil puissant. En fait, c'est l'un des plus magiques. Je passe le mien en revue chaque jour et je le recrée deux à trois fois par année pour mettre mes rêves et mes buts à jour. C'est aussi l'un des exercices proposés dans mon programme de formation sur la façon de se concentrer parce qu'il vous rappelle ce que vous désirez dans la vie. Il est important de suivre cette méthode afin d'accomplir vos rêves.

Dans mon carnet de rêves, le centre représente ma moto. Il contient toutes mes pensées et mes conférences. Pour moi, la moto signifie la liberté. Elle me donne du *pouvoir,* une poussée d'adrénaline, elle m'aide à me concentrer, elle me passionne et me permet de trouver mon équilibre. Tout cela exige de la concentration pour garder le contrôle. La moto représente pour moi le pouvoir et la liberté. Nous avons besoin de tout cela lorsque nous faisons de la moto.

Dans mon carnet, j'ai collé des images de tous mes rêves dont des voyages dans le Sud, mon désir d'aller vivre en Californie qui s'est enfin réalisé. Depuis des années, ce rêve faisait partie de mes tableaux de visualisation. Je voulais également visiter l'Alaska, partager de bons repas entre amis, posséder un piano en Californie, faire des croisières, avoir une belle maison sur le bord de la mer, posséder différentes motos et voitures de sport et prendre de bonnes décisions tout en faisant de bonnes actions. Donc, j'accrochais le plus de photos possible.

Sur la couverture arrière de mon carnet de rêves, il y a des affirmations que je peux lire matin et soir et, parfois, durant la journée. C'est une façon pour moi de rafraîchir ma mémoire, d'influencer mon subconscient et de rester concentrée sur mes buts et mes rêves.

J'espère que mes exemples vous aideront à continuer votre cheminement sur la route de la vie et qu'ils vous aideront également à grandir et à obtenir tout ce que vous désirez.

Je ne répéterai pas trop qu'il est essentiel de croire en vos rêves. À cet effet, voici un exercice stimulant pour vous aider à commencer votre carnet personnel de rêves.

1. Choisissez un beau carnet vierge et des crayons de couleur.

2. Écrivez trois rêves sur des pages différentes pour chacune des six catégories mentionnées ci-après pour un total de dix-huit.

Voici les six catégories dont nous devons nous occuper :

- ☐ notre santé physique
- ☐ notre vie sociale
- ☐ notre spiritualité
- ☐ notre vie familiale
- ☐ notre travail
- ☐ notre bilan financier.

3. Attribuez à chacune des catégories au moins six pages (recto verso) ou plus si vous le souhaitez.
4. Sur différentes pages, écrivez votre rêve et passez une page blanche. Il y aura trois rêves dans chacune des six catégories ci-dessus, vous aurez dix-huit rêves.
5. Écrivez le titre de la catégorie et un rêve à toutes les deux pages.
6. Décrivez votre rêve, soyez aussi précis que possible (voir l'exemple ci-dessous).
7. Trouvez des photos pour illustrer votre rêve et collez-les sur les pages blanches à la suite de la description.
8. Jetez un coup d'œil à votre carnet de rêves inspirant au moins chaque matin et soir. Plus vous le regarderez souvent, mieux ce sera.

9. Ajoutez des photos et le plus de détails possible à vos descriptions dès qu'ils vous viennent à l'esprit. Soyez précis.

10. Faites une action vers l'accomplissement de vos rêves chaque jour ou au moins chaque semaine (par exemple : lire un livre, suivre un cours, faire des recherches, établir votre plan, etc.)

Un exemple : je rêve d'une maison de 5 000 000 $ sur une plage en Californie. Quand j'y entre, je vois une grande salle de séjour avec de hauts plafonds et à droite un foyer, des sofas en cuir véritable de couleur bordeaux et de splendides parquets de chêne. À ma gauche se trouve un superbe piano à queue avec des fauteuils tout autour pour mes amis lorsque je chante et que je m'accompagne au piano.

La vue de l'océan est magnifique du solarium en verre à l'arrière de la maison. Il est rempli de plantes tropicales luxuriantes et de fauteuils confortables. Un peu plus élevée que la salle de séjour, ma cuisine est séparée par une rampe de bois spécialement conçue et fabriquée par mes frères. Le décor de la pièce est agrémenté de teintes bordeaux et lime, d'appareils électroménagers en acier inoxydable hauts de gamme et de somptueux luminaires.

Au centre du rez-de-chaussée se trouve une salle d'eau. Un escalier en colimaçon monte jusqu'à la mezzanine où il y a un beau foyer et qui mène à un balcon extérieur. Dans la chambre des maîtres, il y a une grande penderie qui donne accès à une salle de bain à pan de verre me permettant de toujours voir l'océan Pacifique. Il est très rassurant et apaisant de pouvoir regarder la mer et admirer le coucher du soleil chaque soir tout en étant bercé par le son des vagues.

Continuez sur cette lancée et décrivez vos rêves dans leurs moindres détails. Il ne faut pas être évasif, mais très précis.

Partagez votre histoire

Afin d'inspirer les jeunes et les moins jeunes à ne pas abandonner, surtout les adolescents trop souvent confrontés au suicide, à la dépression et au décrochage scolaire, je vous invite à partager votre histoire pour inspirer les gens à vivre leurs rêves et à continuer de vivre.

L'exercice suivant vous invite à partager votre histoire. Vous pouvez m'envoyer (par l'entremise de Facebook ou de mon blogue), ce qui vous passionne, vos rêves, qu'ils soient réalisés ou que vous les caressiez, en me donnant le plus de détails possible. Il peut aussi s'agir d'une histoire qui servira à inspirer les adolescents, les femmes ou toute autre personne qui pourraient tirer avantage de vos expériences, des défis que vous avez surmontés, de vos voyages ou de vos réalisations. Si vous avez songé à abandonner l'école ou à vous suicider, si vous avez déjà souffert de dépression ou d'épuisement professionnel (*burn-out*), partage ces expériences avec nous parce que vous pourriez aider d'autres personnes à survivre et à continuer à rêver. Je suis certaine que vous avez une histoire à l'intérieur de vous qui pourrait changer la façon de penser d'autres personnes et qui pourrait faire une différence dans le monde!

Entourez-vous de gens d'action

Entourez-vous de gens qui ont déjà atteint leurs buts. Leur parcours sur le chemin menant à ces buts pourrait vous inspirer à réaliser les vôtres. Observez et apprenez de gens autour de vous qui ont déjà réussi. Découvrez ce que vous aimez le plus au sujet de ces personnes et ce qui les a aidées à concrétiser leur réussite. Interagissez avec des gens qui ont déjà atteint leurs buts, cela vous motivera à travailler avec plus d'ardeur pour réaliser les vôtres. Je vous en prie, n'écoutez pas votre beau-frère, votre voisin ou Jo-connais-tout, des personnes qui n'ont jamais réussi ce que vous voulez accomplir. Rendez-vous service en vous inspirant de gens qui ont déjà réussi et qui vous servent de modèles.

Nous devons explorer et nous joindre à des organisations ou des groupes constitués de gens qui ont des intérêts et des idées semblables aux nôtres. De cette manière, nous apprenons les uns des autres et nous pouvons également être aidé et encouragé lorsque nous prenons des décisions. De plus, en tirant des leçons de nos réussites et de nos échecs, cela nous aidera à bâtir notre futur sans répéter les mêmes erreurs.

Lorsque vous serez conscient de la personne que vous êtes, lorsque vous suivrez votre destin, lorsque vous visualiserez votre avenir et lorsque vous serez entouré de gens qui prennent des décisions éclairées, vous saurez alors de quelle façon trouver l'équilibre dont vous rêvez.

N'ÉCOUTEZ PAS LES MÉDIAS NÉGATIFS

Il est très important de comprendre les effets négatifs que la société et, surtout les médias, peuvent avoir sur notre vie et particulièrement sur notre subconscient. C'est un élément crucial pour les enfants et les adolescents parce qu'ils sont les adultes de demain et qu'ils devraient être alimentés de bonnes nouvelles et non de mauvaises. Trop de reportages diffusés par les médias contiennent trop de violence, ce qui fait augmenter le niveau de peur chez les jeunes.

Mallheureusement, cette violence désensibilise les gens par rapport à l'existence et aux conséquences qui peuvent s'ensuivre. De plus, elle favorise le développement d'un comportement agressif. Il est extrêmement important de porter une attention particulière à ce que nous lisons, ce que nous entendons et ce que nous regardons à la télévision parce que tous ces choix ont un impact véritable sur nous et notre avenir.

Nous devons choisir uniquement les médias qui nous apportent des éléments positifs. Passer plusieurs heures devant la télévision peut nous déstabiliser et nous empêcher d'avoir une vision positive de la vie. Pourquoi intégrer toute cette négativité lorsque nous avons tellement d'autres moyens de nous détendre et d'agrémenter notre vie? Il est de beaucoup préférable de regarder un bon film ou un reportage positif. Comprenez bien que nos buts et nos objectifs sont plus importants que de suivre la description en long et en large de toute la violence qui sévit dans le monde.

Notre temps est la valeur la plus précieuse que nous possédons; nous devons être vigilant quant à notre façon de l'utiliser.

Il est préférable de parler d'amour plutôt que de violence,

- de nous éduquer en relation avec nos buts,
- de sortir de notre léthargie quotidienne,
- de poser des actions et d'aller de l'avant,
- de faire confiance à notre intuition,
- de porter attention à ce avec quoi nous nourrissons notre esprit et notre cœur.

Oui, les médias nous fournissent souvent un service en diffusant l'information, mais les mauvaises nouvelles qu'ils rapportent font souvent plus de mal que de bien.

Je sais que plusieurs d'entre vous n'êtes peut-être pas d'accord avec moi. Je n'ai pas écouté les nouvelles depuis 1999 et je ne m'en porte pas plus mal. Je ne regarde la télévision que pour faire plaisir à mon copain ou lors d'occasions spéciales. Je suis convaincue qu'il est beaucoup plus avantageux de regarder un film, une comédie, une émission musicale ou sportive, d'écouter de la musique. Je ne passe pas beaucoup de temps à ces activités et c'est une des raisons pourquoi j'ai réalisé plusieurs de mes buts. Je n'aurais jamais obtenu tout ce que j'ai dans ma vie si j'avais regardé la télévision ou écouté la radio, ne serait-ce que quelques heures par semaine.

J'ai trop de projets et trop à apprendre. Lorsque je parle de ne pas écouter les médias, je veux dire dans le sens de ne pas écouter la négativité et choisir plutôt des émissions stimulantes. Si vous cessiez de regarder la télévision dix heures par semaine durant dix ans, ce choix d'utilisation de votre temps totaliserait 5 200 heures. soit l'équivalent de 217 jours! Vous pourriez obtenir plusieurs diplômes universitaires grâce à tout ce temps!

Plusieurs personnes me demandent de quelle façon je reste informée. Je vais en ligne durant dix ou quinze minutes le matin pour obtenir les nouvelles dont j'ai besoin. Étant donné que les bonnes nouvelles sont rarement diffusées, vous devez chercher davantage sur les sites Internet ou les réseaux spécialisés tels que Discovery et History pour obtenir de l'information digne d'intérêt. Les mauvaises nouvelles se diffusent très rapidement et nous finissons toujours par en entendre parler de toute façon!

La Nouvelle-Orléans et la Louisiane

Voici une expérience que j'ai vécue lors de mon voyage aux États-Unis en 2006 après le passage de l'ouragan Katrina en Louisiane. J'ai visité le *French Quarter* à La Nouvelle Orléans après le Mardi Gras. J'ai beaucoup aimé et endroit et tout s'est bien passé.

Par contre, à vingt minutes de là, dans d'autres endroits, derrière toutes ces apparences, beaucoup de gens étaient encore très affligés. Le *French Quarter* a été ravivé rapidement après la tempête, mais les gens qui vivaient dans des secteurs moins touristiques et plus pauvres ont tout perdu, même leur espoir.

Deux ans plus tôt, en 2004, je suis allée à Daytona avec quelques amis du Québec. Nous avons mis nos motos de route dans la remorque et nous sommes partis en nous disant que nous allions avoir du plaisir, faire la fête et visiter une partie de la Floride. Il nous a fallu 24 heures pour nous y rendre.

Notre plan était de nous rendre à Orlando, d'y passer quelques jours et de nous diriger vers la Louisiane par la suite. Ce voyage a eu lieu avant l'ouragan Katrina; nous avons conduit 1 100 kilomètres pour nous y rendre. Nous avions pensé qu'en prenant cette route, il y aurait des paysages magnifiques, la mer, mais malheureusement, nous avons voyagé sur des autoroutes durant tout le voyage, ce qui s'est avéré être monotone.

À notre arrivée en Louisiane, après la semaine du Mardi Gras, il y avait encore une ambiance festive partout dans la ville. Il y avait plusieurs activités dans les rues; nous avons vu de magnifiques costumes et nous avons visité quelques boutiques.

À notre arrivée, des gens nous ont avertis qu'il serait difficile de garer nos motos dans les stationnements. Nous en avons finalement trouvé un et avons demandé au commis s'il nous était possible de garer nos motos à cet endroit, car nous étions prêts à payer l'emplacement d'une voiture, malgré le fait que nous ne nous sentions pas en sécurité et que toutes les autres motos étaient attachées les unes aux autres.

Après avoir négocié le prix, nous avons finalement conclu l'affaire en payant les frais exigés. Nous avons par la suite poursuivi notre escapade, et cela, même si nous n'étions pas très rassurés quant à la sécurité de nos motos. Nous avions d'ailleurs pris la peine de les attacher ensemble. C'est pour vous dire à quel point nous étions méfiants!

Nous avions aussi développé de la méfiance à l'égard du surveillant du stationnement. Nous sommes allés nous amuser, voulant évacuer le stress causé par tout ce cirque et nous remettre de notre malaise et de notre sentiment d'insécurité. L'objectif de la journée était de surmonter nos peurs pour profiter de notre séjour en Louisiane.

Un peu plus tard, deux de mes amis ont voulu récupérer leurs motos et retourner en Floride. Un autre et moi-même avons décidé de rester un peu plus longtemps et célébrer nos vacances.

Lorsque nous sommes retournés au stationnement, tout s'est bien déroulé. Rappelez-vous que j'ai affirmé précédemment que la plupart de nos peurs étaient sans fondement et qu'elles n'engendraient, la plupart du temps, aucun résultat négatif. Donc, pour quelles raisons se faire autant de soucis pour tout et pour rien? L'anxiété et le stress sont souvent sans fondement et, pire encore, sont générateurs de maladies de toutes sortes.

Réfléchissez sérieusement à cela et faites l'exercice de dresser une liste de vos crises d'anxiété et des peurs que vous avez entretenues, lesquelles en fait, n'étaient que dans votre tête et qui ne se sont jamais matérialisées. Nous suivons la voie de notre imagination souvent pour le pire, ce qui vient déranger notre réalité et notre paix intérieure. Nous manquons de confiance, mais nous devons nous convaincre que tout va bien aller.

Je vous explique cela afin que vous compreniez le contexte des événements qui se sont déroulés deux ans plus tard durant mon voyage en véhicule récréatif à travers vingt et un états américains.

Nous avons aimé La Nouvelle-Orléans et nous nous sommes beaucoup amusés. J'ai décidé d'y retourner parce que je voulais voir à quel point Katrina avait dévasté cette ville et ses environs. Qu'était-il arrivé aux sites naturels du bord de la mer? Comment avait-elle touché la population?

Alors que j'étais encore en Californie, j'ai rencontré un homme qui venait de la région dévastée dont le prénom est Joey. Il m'a donné des détails et quelques conseils par rapport aux endroits sûrs et aux zones plus dangereuses où je pourrais aller en toute sécurité et les endroits où je ne devrais jamais mettre les pieds. Il m'a donné des suggestions quant à ce que je devrais rechercher et aussi quelques conseils afin de toujours être en sécurité.

Dans certaines régions, je devais faire particulièrement attention même à l'intérieur du véhicule et je ne devais pas me retrouver à voyager seule dans certaines parties de la zone dévastée parce qu'en tant que femme, je prendrais un grand risque. Comme j'ai pris ses avertissements au sérieux, j'ai convaincu mon père et mon oncle de se joindre à moi à partir de San Diego et de voyager avec moi jusqu'en Louisiane.

Mon ami Joey disait aussi que même si je voyageais avec eux, la prudence devait être de mise à chaque moment. Même en conduisant, je pourrais devenir victime d'une personne désespérée et qu'étant donné que beaucoup de gens avaient perdu toutes leurs possessions, ils pourraient attaquer des véhicules pour se sauver des lieux de la tragédie afin de commencer une nouvelle vie.

Je ne croyais pas tout ce que me disait Joey, mais je sentais quand même ce fourmillement de peur à l'intérieur de mon estomac. Par mesure de sécurité, nous avons suivi toutes ses recommandations. Il nous avait fait aussi plusieurs autres suggestions de prudence auxquelles nous avons vraiment porté attention.

- Je vous conseille de garder les portières verrouillées en tout temps. Gardez les fenêtres fermées. Évitez la tentation de vouloir en voir davantage, ce qui pourrait vous mener à être moins vigilants. Surtout, ne prenez pas de photos, même lorsque vous êtes assis dans votre véhicule. Après les traumatismes et les pertes que ces gens ont vécus, toute la douleur avec laquelle ils doivent continuer de vivre maintenant, vous pourriez vous placer en situation de danger.

- Mais pourquoi? ai-je demandé à Joey.

- La douleur des gens et leur souffrance font qu'ils ne veulent pas être vus comme des animaux de cirque. Après toutes les épreuves, les pertes, les morts, les gens ne veulent pas être pris en photos.

Ensuite, il y a eu tous les problèmes qu'ils ont vécus avec les autorités gouvernementales américaines qui ont refusé l'aide que d'autres pays voulaient leur apporter. Le gouvernement a répondu qu'il était en contrôle de la situation et que la vie reprendrait son cours normal sous peu.

Malheureusement, cette affirmation s'est révélée véridique seulement dans les zones touristiques, mais non pas pour toutes les autres communautés. Il est impossible d'imaginer la misère qui est encore présente dans ce coin de pays, la désolation et le désespoir des gens dont la vie a été ravagée par cette catastrophe.

En général, nous avons suivi les conseils de mon ami Joey et nous avons fait un très bon voyage sans incident.

Toutefois, nous avons quand même pris des photos à partir de l'intérieur du véhicule. C'était un an et demi après le passage de l'ouragan et la région était encore dévastée,

Nous avons vu plusieurs choses qui nous ont laissés sans voix. Les gens n'avaient pas d'endroit où vivre, les stations-service étaient détruites, les centres commerciaux étaient fermés et les gens vivaient dans des roulottes installées sur des stationnements désaffectés. Nous avons garé le motorisé sur le meilleur terrain de camping de la ville que j'ai pu trouver, mais vous auriez dû voir le visage de mon père et de mon oncle lorsque nous y sommes arrivés.

- Es-tu sérieuse? Nous allons rester ici pour quelques jours? Tu voyages seule et tu te rends dans ce genre de terrain de camping?

- Pas vraiment! Je n'ai jamais vu moi non plus un endroit aussi dévasté, mais c'est dû à l'ouragan qui a frappé très fort il y a à peine dix-huit mois, ai-je rétorqué. Ils ne sont pas encore remis complètement de cette épreuve. J'ai choisi ce terrain de camping parce que c'était le meilleur.

Habituellement, je n'ai peur de rien, mais croyez-moi, je ne me sentais pas à l'aise. Je devais rester quelques jours après leur départ, mais j'ai finalement décidé de prendre le chemin du retour le même soir qu'eux.

Je ne sais pas si La Nouvelle-Orléans est encore dans cet état, mais pourquoi n'en voyons-nous rien à la télévision? Pourquoi ne voyons-nous pas les conséquences d'événements aussi tragiques ou la désolation des gens après les guerres? Pourquoi les médias ne nous montrent-ils pas le processus de reconstruction en cours? C'est quelque chose que nous devrions voir et savoir.

Nous cachent-ils leurs mauvaises décisions, une mauvaise administration? Nos gouvernements ne prennent pas toujours les bonnes décisions. En tant que société et en tant que personne, je pense que nous avons besoin de devenir plus conscients de toute la manipulation et du lavage de cerveau auxquels nous sommes exposés.

Le rêve de cette planète : L'AMOUR

Dans notre for intérieur, je pense que nous voulons tous vivre dans l'harmonie, la joie et la paix, peu importe l'endroit où nous vivons ou la religion que nous pratiquons. Toutes les religions devraient porter un message commun. S'aimer et se respecter mutuellement. Toutefois, je crois que les êtres humains déforment souvent les choses pour garder le contrôle, accéder au pouvoir, gagner de l'argent et faire régner la peur. L'amour et le respect sont mis aux oubliettes.

Si tous les médias collaboraient pour diffuser des nouvelles positives, des histoires d'intérêt collectif, des chansons inspirantes et des films instructifs, le monde se porterait beaucoup mieux.

Cela pourrait sembler bizarre au début, mais vous pouvez sûrement imaginer comment, après quelques semaines ou quelques mois, à quel point nos vies se seraient améliorées. Imaginez à quel point nous serions habités par un sentiment de paix, nous deviendrions courageux, rien ne pourrait nous arrêter, nous serions puissants et il serait beaucoup plus facile de nous soutenir les uns les autres.

Nous pourrions changer le visage de cette planète; nous pourrions modifier la vibration de l'eau (c'est déjà prouvé par le Dr. Masaru Emoto) pour résoudre différents problèmes, y compris celui de la pollution. Nous pourrions transformer nos cœurs. Nous pourrions changer l'énergie globale et les champs magnétiques, résoudre les problèmes de santé et plus encore!

Il y a tellement de différentes techniques naturelles, de soins énergétiques, de solutions scientifiques et d'autres choix que nous pouvons faire, mais ces différentes solutions ne sont pas divulguées aux masses. C'est honteux! Nous commençons à voir de petites améliorations en ce sens; il y a plus de documentaires et de films, mais ce n'est pas suffisant. Nous devons élever notre niveau de conscience et demander à être informés.

Chacun de nous peut réellement faire une différence dans le monde. Plus il y aura de gens qui seront conscientisés aux problèmes existants, plus rapidement nous pourrons ouvertement relever les défis auxquels la planète fait face.

Savez-vous que nous pourrions résoudre les problèmes de pauvreté, de santé et d'éducation de base dans le monde aujourd'hui avec seulement 4 % des revenus des 225 familles les plus riches de la terre? Il y a dix ans, j'ai vu les statistiques de l'ONU. J'aimerais bien voir à quoi ces dernières ressemblent maintenant.

Dans la société, on nous stimule à croire qu'il nous est impossible de résoudre plusieurs des problèmes actuels. Que se passerait-il si toutes les techniques pour créer des changements valables étaient sérieusement analysées avec un esprit positif et un système transparent, sans aucun *lobbying* de la part des grandes sociétés pharmaceutiques, des sociétés pétrolières, des gouvernements, et autres.? Je ne suis pas la première à le suggérer, mais j'espère que vous ferez plus de recherche sur ces questions, que vous aurez une plus grande ouverture d'esprit et que vous serez plus conscient de ce que nous pouvons faire ensemble, en plus d'élire dans l'avenir des dirigeants plus conscientisés et orientés à régler le sort des êtes humains.

Cela dit, ce ne sont que des rappels ou des avertissements pour plusieurs d'entre vous. Il nous est possible de penser différemment et d'avoir une plus grande ouverture d'esprit pour améliorer notre vie et influencer la conscience collective. Je crois vraiment que nous pouvons faire une différence pour l'avenir de l'humanité en changeant ou en améliorant notre système de croyances.

La musique est également un outil merveilleux pour nous aider à atteindre un niveau plus élevé de concentration et elle nous aide à découvrir notre *pouvoir* intérieur et à exprimer nos émotions.

Les chansons servent souvent de réflexion et de bonne vibration pour nous aider à nous élever à un niveau de pensée et de conscience supérieures. Elles peuvent toucher le cœur et faire rayonner plus d'amour et de paix sur cette planète pour aider l'humanité à mettre fin aux guerres et apporter la paix à tous les peuples de la terre. Chaque être humain peut apprendre que l'amour est la beauté inconditionnelle du monde.

Une des chansons classiques parmi les plus belles du Québec est celle de Raymond Lévesque, *Quand les hommes vivront d'amour*. Elle reflète ce que je veux dire ici. J'adore aussi la chanter dans mes conférences, même quand je suis sur une scène internationale, devant un public totalement anglophone, l'énergie qu'elle diffuse et ses paroles sont touchantes et magnifiques.

10

LE COACHING ET LA GRATITUDE

Je ne l'avais pas réalisé à ce moment-là, mais l'un des premiers coachs qui m'a aidée à me retrouver sur la bonne piste dans la vie a été l'un de mes professeurs au collège.

Deuxième semestre – début janvier
Collège Notre-Dame-de-Foy (1987-1989)
Saint-Augustin-de-Desmaures (Québec)

Ce cours de philosophie avec ce professeur m'a énormément aidée à réfléchir à bien des points et à favoriser mon développement personnel.

Dès le départ, les choses ont été difficiles pour moi. Lorsque j'ai commencé ce nouveau semestre, le sol était couvert de neige et le ciel de gros nuages. La température promettait de s'ennuager encore davantage. J'étais déprimée et malheureuse et, en plus, je devais aller à mon premier cours de philosophie qui traitait de l'évolution de l'humanité ou d'un sujet très ennuyeux de la sorte. Après seulement quelques minutes, je savais que j'allais profondément détester ce cours et lorsque le professseur a parlé de faire un documentaire, j'ai constaté que je n'avais aucune affinité avec lui.

À cette époque-là, je ne pensais pas que ce sujet me servirait un jour sur le plan personnel. Le fait de devoir suivre ce cours me tourmentait et j'étais convaincue qu'il n'y avait aucune chance que je puisse même obtenir une note de passage. Je croyais que j'échouerais ou, pire encore, que je n'arriverais jamais à survivre à ma propre vie.

Ce professeur pensait qu'il serait très *passionnant* de faire des recherches sur l'histoire. Je me souviens encore clairement de quelle manière je me sentais; je n'avais absolument aucun intérêt pour ce sujet. J'étais assise à mon pupitre, regardant la neige tomber par la fenêtre, perdue dans mes pensées au sujet du ciel gris qui me déprimait et qui se reflétait sur l'interminable tapis blanc recouvrant le sol.

Tout me paraissait bien pire que ce l'était en réalité. Dans mon for intérieur, je ressentais le poids d'émotions paralysantes. Les larmes ont commencé à couler lentement sur mes joues en voyant que ma vie n'était teintée que de gris et de noir. J'étais aveuglée, ne voyant pas toute la beauté qui m'entourait. Je suis sortie de la salle de cours en marmonnant, car il était invraisemblable que je puisse réussir ce cours.

Ce moment a été crucial dans ma vie parce que je ne voulais plus dépendre de mes parents. Je les ai suppliés de me permettre de louer un appartement, mais ils ont à nouveau refusé. J'ai dû vivre dans une résidence pour étudiants pour un autre semestre. Devoir vivre dans un dortoir de filles m'ennuyait énormément.

Ma perception de la vie à ce moment-là était tellement négative que j'avais l'impression que j'étais jugée par les autres étudiants et travailleurs de la résidence. Je les détestais tous parce qu'ils semblaient me rejeter et ce sentiment me déplaisait au plus haut point. Même si la réalité était sûrement bien différente de ce que j'en pensais à l'époque, je sais maintenant que les émotions que nous ressentons à l'intérieur de nous sont vraiment importantes, peu importe la réalité. C'est probablement l'une des raisons pour lesquelles il y a tant de suicides et pourquoi le taux de suicide augmente chaque jour, surtout dans les pays occidentaux.

Lors de l'une de mes journées sombres, je marchais dans le corridor du dortoir me demandant comment j'allais survivre à ce semestre lorsque les paroles de mon ex-professeur de philosophie ont résonné à mes oreilles. J'ai décidé de me rendre à son bureau pour voir s'il était libre. Je me souvenais à quel point j'avais aimé la façon dont il avait présenté les connaissances qu'il nous avait transmises sur les sujets abordés. Si je n'avais jamais assisté à ce cours, les chances sont fortes que je n'aurais plus jamais foulé le sol de cette terre.

Enthousiasmée par le fait qu'il soit dans son bureau, j'ai pris place devant lui et j'ai déversé mes émotions en lui expliquant comment je me sentais par rapport à ce nouveau semestre avec l'autre professeur et que j'espérais sincèrement qu'il puisse m'enseigner à nouveau.

Il m'a répondu : « Malheureusement, Nadine, ce n'est pas possible en ce moment. » Je me suis mise à pleurer sans pouvoir m'arrêter, les larmes ruisselaient sur mes joues. Bouleversé par mon désespoir, il a pris un moment pour réfléchir avant de continuer : « Laisse-moi voir ce que je peux faire. » Il a quitté son bureau durant quelques minutes et lorsqu'il est revenu, il m'a dit. « Après avoir examiné la situation, j'ai constaté que je peux t'ajouter au groupe existant. »

Wow! Je voyais finalement une étincelle de lumière dans ma vie. J'étais aux anges qu'il m'accepte dans son cours à nouveau.

Les discussions durant le cours étaient très intéressantes : nous parlions de divorce, d'avortement, de la peine de mort et de différents autres sujets d'intérêt social. Une fois par semaine ou toutes les deux semaines, le groupe était divisé en deux; d'un côté, il y avait ceux qui votaient pour un sujet choisi et de l'autre ceux qui votaient contre. Nous discutions fébrilement des problèmes et nous émettions des commentaires enthousiastes ainsi que des idées intéressantes. J'étais contente de faire partie de conversations aussi palpitantes et j'étais heureuse de faire partie de ce groupe. Toute cette expérience a fait en sorte que je me suis arrêtée pour penser à l'évolution des événements dans notre société et à ses visions d'avenir.

Ce cours de philosophie m'a inspirée à réfléchir à de multiples sujets à caractère social. Il m'a aidée à grandir et il est probablement la raison pour laquelle j'aime un certain genre de discussions aujourd'hui – où chacun a de merveilleuses idées pour changer le monde. Malheureusement, nos politiciens n'ont peut-être pas suivi ce genre de cours. J'ai appris à aimer la philosophie et cette discipline m'a aidée à trouver des réponses en moi. J'ai appris à travailler avec mes émotions plutôt que de me battre contre elles.

Message important

Je m'adresse tout particulièrement à vous, monsieur le professeur de mes années sombres, vous qui m'avez tendu la main, vous qui avez compris mon chagrin et ma douleur. Je suis tellement reconnaissante que vous vous soyez trouvé sur ma route et que vous m'ayez aidée à croire en la vie, en *ma vie*! Je serais tellement heureuse si vous pouviez me contacter en allant visiter mon site Internet au www.nadineracing.com ou sur Facebook.

Combien de fois nous arrive-t-il dans notre vie de rencontrer la personne parfaite ou de connaître des circonstances parfaites au moment où nous en avons le plus besoin? Prenez le temps de téléphoner ou d'écrire une lettre à une personne aussi importante pour la remercier. Ces gens méritent notre reconnaissance.

Il y a un mouvement aux États-Unis avec des rubans bleus (Blue Ribbons) qui signifient : *la personne que je suis fait une différence avec Sparky* (Who I Am Makes a Difference with Sparky). Vous pouvez vous procurer ces rubans pour reconnaître quelqu'un qui vous a aidé. Vous pouvez également voir une merveilleuse vidéo sur YouTube qui raconte une histoire touchante au sujet d'une professeure qui a donné le devoir à ses étudiants, celui de reconnaître une personne pour ce qu'elle est. Cet exercice a sauvé la vie d'un élève qui était suicidaire. Chaque action, chaque parole compte beaucoup plus qu'on le pense.

Exercice de gratitude

Je vous encourage fortement à faire preuve de gratitude envers quelqu'un qui vous a déjà aidé. Prenez quelques grandes inspirations et relaxez. Sentez ce qui se passe en vous, l'énergie qui circule en vous. Pensez aux pires moments de votre vie alors que quelqu'un vous a tendu la main. Prenez une feuille de papier et écrivez le nom de chaque personne qui vous vient en tête. Sous chacun des noms, écrivez au moins quelques phrases en mentionnant de quelle façon ces personnes ont changé votre vie. Au début, cet exercice sera peut-être difficile, mais par la suite, vous sentirez un grand soulagement en revivant de tels moments posi-tifs et en les faisant passer de votre subconscient à votre conscient.

Idéalement, vous devriez parler à ces personnes individuellement. Reconnaissez-les pour ce qu'elles ont fait pour vous. Démontrez-leur votre gratitude et l'effet sera magique. Si vous n'êtes pas prêt à leur parler en personne, téléphonez-leur ou écrivez-leur une lettre. Vous en ressentirez tous les deux les bienfaits.

En tant que jeunes adultes, nous avons probablement tous vécu des moments où nous ne sentions pas que nous avions notre place dans la société. C'était ce que je ressentais en 1995, lorsque j'ai composé ces deux chansons.

Un des participants que je voyais souvent vu qu'il participait aux mêmes concours que moi, concours professionnels et semi-professionnels pour percer comme chanteuse et musicienne, a vécu un drame : son jeune frère a été tué quand une bombe placée dans une voiture par une gang de rue des Hells Angels, a explosé à Montréal. La vie d'un innocent avait été détruite.

DÉMENCE

Jeunes adolescents
Entremêlés de sentiments
L'amour, la peur, la haine
Pourquoi montrer tant de violence
De guerre et de démence
C'est l'image qu'on leur donne
Aux démons ils s'abonnent

Refrain :
Les humains sur terre
Qui se côtoient
Devraient se taire
Pour entendre leur voix
Qui blesse, qui meurtrit les cœurs
Chacun d'entre nous

Ne doit souffrir
Arrêtons les fous
Qui agressent, qui font mourir
Et qui sèment peur et haine
Loin du paradis
Ils vagabondent très tard la nuit
Se battent, agressent et tuent
Les gangs se forment avec rancœur
Et empirent nos malheurs
À vous le monde violent
Sauvez les innocents!

Nadine Lajoie

Durant cette période de ma vie, j'étais comme un zombie et je me plaignais tout le temps, je ne voyais pas de sens à la vie. Je travaillais au centre-ville, détestant mon travail et toutes les personnes qui m'entouraient.

Centre-ville

Les édifices et les gratte-ciel, solitaires,
se regardent et se dévisagent
À leur pied fourmillent de stress et d'inquiétude
tous ces visages
D'un côté la splendeur la beauté de ce paysage
De l'autre, ces petits cœurs qui attendent l'étoile
annonçant pour eux un virage

REFRAIN
Même si près du soleil
Il existe toujours plus grand pour les replonger
dans le sommeil

GAGNER LA COURSE DE SA VIE

Souhaitons l'espoir du prochain réveil
Magiquement nous tenir en éveil
De leur stature grandiose, imposante,
on ne voit que leurs vitres teintées
De ses murs on se cache, pour enfouir et
voiler sa vraie personnalité
Tous ces miroirs reflètent ce qu'ils voient pour mieux atténuer
Comme nous, ses défauts et le travail à l'intérieur,
de notre âme à peaufiner.

REFRAIN
Même si près du soleil
Il existe toujours plus grand pour les replonger
dans le sommeil
Souhaitons l'espoir du prochain réveil
Magiquement nous tenir en éveil

Puisez au fond de ces mots
Puisez au fond de votre cœur
Moins lourds seront vos maux
Si vous vivez avec chaleur

REFRAIN
Même si près du soleil
Il existe toujours plus grand pour les replonger
dans le sommeil
Souhaitons l'espoir du prochain réveil
Magiquement nous tenir en éveil.

Paroles et musique : Nadine Lajoie

Développement personnel : devenir conscient de votre *moi* intérieur

Plus jeune, j'aurais bien aimé mieux me connaître. Après avoir participé à un atelier en 1999, ma vie a changé. Sous la direction d'Annie Marquier de l'Institut de Développement de la Personne à Knowlton au Québec*, je suis devenue consciente de la personne que j'étais. En se concentrant sur notre développement personnel, cet atelier utilisait la métaphore du cheval pour expliquer notre façon de penser et notre état émotionnel. Voici ma version adaptée en utilisant la métaphore de la moto.

La métaphore de la moto (corps physique) représente aussi l'adrénaline avec l'accélérateur (émotions), le moteur (cœur) et le pilote (contrôle mental).

—Photo par Brandon Bones

La moto symbolise les émotions et l'adrénaline. Lorsque nous ressentons des émotions, lorsque nous avons des passions, ce sont elles qui nous motivent. Il est très important de manifester

*www.idp.qc.ca

ces émotions adéquatement pour contrôler l'accélération. Alors, le pilote dirige la moto au bon endroit à la bonne vitesse et dans le bon angle. Le moteur représente le cœur et notre *moi* intérieur, notre lumière intérieure, notre *pouvoir* intérieur ainsi qu'une force supérieure — Dieu, Allah, Bouddha, peu importe le nom que vous désirez lui donner — qui nous aide à conduire sagement notre moto.

Finalement, notre état physique. Lorsque nous sommes trop stressés au travail, lorsque nous ne nous sentons pas bien sur le plan émotionnel, pour une raison quelconque (par exemple, si nos parents viennent de divorcer ou si nous vivons une peine d'amour), il nous arrive souvent d'être malades physi-quement. C'est comme si la moto avait eu un accident après une perte de contrôle ou de traction.

C'est à ce moment-là que nous rencontrons des prolèmes de santé. Si je contracte la grippe ou une autre maladie qui m'empêchera de fonctionner durant un certain temps, je sais que c'est parce que quelque chose n'a pas bien fonctionné dans ma vie, au travail ou dans mes relations. Le corps nous parle toujours des problèmes que nous vivons intérieurement et qu'il nous faut régler.

Des leçons de Las Vegas

Las Vegas au Nevada est un endroit où des êtres humains ont construit des édifices majestueux et des lieux de divertissement magnifiques. Cependant, il n'y a rien que l'homme puisse bâtir et qui peut être aussi époustouflant que le Grand Canyon. Je me suis rendue à cet endroit merveilleux pour méditer au milieu de toute cette énergie et de cette beauté naturelle et, chaque fois, je suis touchée de la même manière. J'ai les larmes aux yeux et la chair de poule en raison de toute l'énergie puissante qui se dégage de cet emplacement majestueux qui fait partie de mes endroits préférés.

— Photo par Nadine Lajoie

Le Grand Canyon est un endroit des plus merveilleux pour méditer. Au centre de toute cette formidable énergie et de cette beauté extraordinaire, chaque fois que je m'y rends, je suis toujours fortement impressionnée.

Nous devons apprécier davantage les choses que nous tenons pour acquises — la disponibilité des aliments que nous mangeons, un pays qui n'est pas en guerre, l'éducation gratuite pour tous, etc. Il est de la plus haute importance de remercier pour ce que nous avons. Chaque soir, avant d'aller dormir, pensez à au moins cinq choses que vous avez appréciées durant la journée. C'est un exercice de gratitude que je propose lors de mes rencontres de coaching. Pour quelle raison? On ne sait jamais ce que demain nous réserve.

Le coaching est l'un des éléments clés qui m'a beaucoup aidée à changer ma vie du négatif au positif. Le cerveau humain est tellement merveilleux et puissant qu'il peut apprendre presque tout ce que nous choisissons d'apprendre. Nous devons déployer suffisamment d'énergie et d'engagement pour devenir une meilleure personne. C'est en partie aussi simple que d'apprécier le moment présent et tout ce que nous possédons. Cela semble simple, mais ce n'est pas toujours facile à faire au quotidien.

Durant notre voyage, nous nous sommes plaints de vivre deux jours du froid. Nous voulions fuir la neige du Québec et nous l'avions retrouvée au Nevada. Nous n'étions pas très contentes. Dans la vie, tout peut arriver. Nous aurions pu traverser une rue et nous faire frapper par une voiture. Nous aurions pu aller chez le médecin et obtenir un diagnostic de maladie grave ou quelque chose aurait pu arriver à nos parents, nos enfants ou nos amis. Voilà pourquoi il est si important d'apprécier ce que nous avons aujourd'hui.

Je vis souvent mes plus grands moments de calme, de gratitude et d'appréciation autour d'un feu de camp dans un décor naturel avec des amis, ou en prenant un excellent repas, en regardant le coucher du soleil, en contemplant les étoiles et la lune, en écoutant le chant des oiseaux ou le son des vagues, ou en sentant le parfum d'une fleur. Plusieurs moments peuvent être vraiment magnifiques si seulement nous prenons le temps de les apprécier.

Chaque jour, nous pouvons faire le choix conscient d'apprécier ces moments en étant attentif à notre famille, en prenant soin de nous, en aimant la Terre Mère et en choisissant d'adopter de meilleures habitudes. Avez-vous déjà pensé à quel point, nous faisons les choses de façon automatique chaque jour? Réalisez-vous que nous agissons comme des robots dans plusieurs domaines de notre vie? Et combien de fois des pensées négatives nous viennent-elles à l'esprit?

L'exercice suivant vise à vous aider à vous conscientiser davantage dans plusieurs domaines de votre vie. Je vous suggère d'écrire toutes les choses que vous avez faites automatiquement aujourd'hui et toutes les pensées négatives qui vous sont venues à l'esprit. Une fois cette liste exhaustive dressée, vous serez prêt à faire le prochain exercice.

Exercice : adopter de nouvelles habitudes en 21 jours

Plusieurs études ont démontré que l'inconscient travaille fort pour transformer de mauvaises habitudes en bonnes habitudes. Faites l'exercice suivant durant 21 jours consécutifs pour adopter un nouveau comportement.

Par contre, avant de commencer, je vous encourage fortement à créer une liste de toutes les mauvaises habitudes que vous aimeriez changer. À partir de cette liste, choisissez-en une et transformez-la en une bonne habitude. Vous pourriez ainsi changer une habitude tous les trois mois. Chaque année, vous transformerez quatre mauvaises habitudes en quatre bonnes habitudes. Au fil des dix prochaines années, vous aurez acquis 40 nouvelles bonnes habitudes! Ne pensez-vous pas que vous serez alors une meilleure personne ayant de meilleurs comportements et habitudes? Sans aucun doute!

Vos actions positives pourraient encourager d'autres personnes à adopter de meilleures habitudes. Ainsi, votre entourage et votre cercle d'amis s'en trouveront plus enrichis.

Voici comment procéder :

1. Établissez une liste de vos mauvaises habitudes.
2. Identifiez une première habitude que vous aimeriez changer.

3. Procédez à la transformation de la mauvaise habitude durant 21 jours consécutifs. Indiquez sur le calendrier première journée, deuxième journée, etc. Veuillez noter que si vous manquez une journée, vous devez recommencer à zéro! Il est important de le faire durant 21 jours consécutifs.

4. Adoptez cette bonne et nouvelle habitude durant au moins trois mois.

5. Choisissez la deuxième habitude à changer au cours des trois prochains mois et ainsi de suite. Continuez toujours à mettre en pratique la bonne habitude adoptée précédemment.

N'ABANDONNEZ JAMAIS!

Dans la vie, nous rencontrons toujours des *rabat-joie* ou des *éteignoirs* sur notre chemin. Que font-ils sur notre route? Ce sont des briseurs de rêves, des gens envieux qui veulent nous décourager de poursuivre et d'atteindre nos buts. Si nous avons suffisamment de passion et d'amour canalisés dans nos rêves, nos objectifs et nos buts, nous pouvons les empêcher de faire partie de notre vie. Ne laissez pas de gens négatifs marcher, courir ou voyager avec vous.

Nous ne voulons pas stagner dans notre quête, alors nous devons continuer d'aller de l'avant et croire de toutes nos forces que nous pouvons atteindre les buts que nous nous sommes fixés avec passion. Nous voulons attirer ceux qui croient en nos rêves les plus sublimes, ceux qui nous écoutent, nous aident, nous éduquent et nous enseignent. Ceux-là, nous les accueillons dans notre vie le cœur et les bras grand ouverts.

Notre vie peut parfois paraître magique, mais elle est également remplie d'illusions. Comme je l'ai déjà mentionné, nous sommes parfois (ou toujours) notre pire ennemi — alors, soyons aux aguets! Nous voulons être avec des gens qui nous aideront à être positifs et à rester sur la bonne voie.

La morale de cet exemple est de réaliser qu'il y aura toujours quelqu'un qui vous aidera lorsque vous en aurez besoin, que ce soit un parent, un ami, un professeur, les services sociaux, etc. Oui, je vous l'ai déjà dit, mais je dois le répéter. Vous devez chercher l'aide dont vous avez besoin. Vous devez vous accrocher à vos rêves et suivre votre passion! Vous devez avoir l'endurance nécessaire pour prospérer, peu importe les circonstances, parce que la vie vaut la peine d'être vécue.

Un de mes moments les plus précieux durant mon voyage a été le fait de réaliser mon rêve de parcourir les États-Unis et de voir l'océan Pacifique. La première photo que j'ai prise de la mer compte énormément pour moi. J'ai pleuré durant deux heures assise sur la plage à fixer l'immensité de l'océan. Quel moment sublime!

Un rêve peut être petit ou grand; sa dimension ne fait aucune différence. Cela peut être n'importe quoi tant et aussi longtemps que c'est *votre* rêve, quelque chose qui *vous* enthousiasme.

Si j'avais écouté toutes les personnes qui tentaient de me décourager, les gens qui essayaient de me transmettre leurs peurs au sujet de mon voyage, je n'aurais jamais connu l'excitation de voir l'océan. Je ne me serais jamais sentie aussi bien ce jour-là, touchée émotionnellement par le son des vagues, le soleil qui réfléchissait sur la mer et sur quelques voiliers, sentant le sable chaud sous mes pieds et entre mes orteils, humant la brise et l'air marin. Quel rêve! Quelle merveilleuse journée j'ai vécue!

Quelle a été votre meilleure journée? Décrivez-la en vous rappelant le plus de détails possible. Écrivez tout en vous souvenant de vous servir de vos cinq sens.

Les sons vibrants de la guitare

Lorsque j'étais dans une mauvaise passe et que j'étais déprimée, surtout à l'adolescence, et ce, jusqu'à l'âge de vingt-cinq ans, je jouais de la musique.

La musique atteint notre subconscient, elle nous aide à relaxer et nous permet d'avoir du plaisir; alors, laissons-nous aller lorsque ces moments négatifs font leur apparition. Le piano est mon principal instrument depuis que j'ai cinq ans, mais j'aime aussi jouer de la guitare autour d'un feu de camp avec d'autres personnes qui se joignent à moi pour chanter.

La musique est une thérapie pour le corps, le cœur et l'âme. C'est également un excellent moyen de se faire des amis lorsqu'une personne voyage en solitaire comme je l'ai fait. Je m'installais dans un terrain de camping public ou près d'une piste de course. Ensuite, je prenais ma guitare et j'exécutais quelques accords. Parfois, je jouais tard dans la nuit. Des gens s'arrêtaient toujours pour se joindre à moi, parler ou chanter.

Ils regardaient mon véhicule récréatif avec sa plaque immatriculée au Québec et il leur était difficile de croire que je voyageais seule. Durant mon voyage de quatre mois, la question qui revenait le plus souvent était à propos du fait que je voyageais seule.

Ma guitare attirait les gens. Plusieurs s'assoyaient et joignaient leurs voix à la mienne pour chanter quelques chansons. Parfois, encore plus de chœurs rassemblaient leurs voix aux chansons qui étaient jouées. J'ai aimé rencontrer toutes ces personnes merveilleuses et j'en garde plusieurs excellents souvenirs.

Jennings et Daytona Beach

Mes deux moments les plus précieux durant mon voyage furent à Jennings et Daytona, deux villes situées en Floride. J'ai passé un week-end à Jennings pour participer à des pratiques de moto. Ce week-end-là, un gros feu de camp a été allumé. La gérante de la piste où nous nous exercions avons fraternisé; nous avons beaucoup ri, avons bu de la bière et ma boisson favorite : du porto accompagné de chocolat. C'est mon petit péché mignon.

Nous avons échangé des idées et de l'information, puis je lui ai mentionné que j'étais guitariste. Elle m'a encouragée à sortir ma guitare de son étui et d'en jouer. J'ai commencé à gratter les cordes de ma guitare et, en un rien de temps, une foule de personnes s'est aglutinée autour de nous.

Durant ce week-end, j'ai rencontré plusieurs personnes intéressantes. Notre interaction était formidable et nous avons passé de très bons moments ensemble. Certains étaient des comédiens qui racontaient des blagues qui nous faisaient bien rire. Une des personnes présentes a apporté son clavier pour m'accompagner pendant que tout le monde chantait. Ce sont des moments musicaux merveilleux comme ceux-ci qui nous permettent de relaxer et d'oublier le stress de la vie courante.

Passer du bon temps entre les jours de relâche et les jours de course est aussi important que la course elle-même.

Si vous êtes doté d'un talent quelconque, cultivez-le, profitez-en et partagez-le avec les autres. Jouez de la musique si vous possédez ce talent et faites-le découvrir au monde entier. Chérissez chaque moment qui vous est offert et inspirez les gens avec votre énergie créatrice. Si vous décidez de ne pas utiliser votre talent, il sera perdu pour vous et pour le reste du monde.

C'est bizarre à quel point certaines personnes ont peur de faire valoir leurs talents, convaincus que ces derniers ne valent rien. Elles restent dans l'ombre de leurs possibilités. Pourtant, leur créativité, leur talent, est une merveilleuse énergie intérieure, un don du ciel. Si vous sentez le besoin de vous exercer et de vous améliorer, faites-le! Si vous sentez que vous êtes un musicien dans l'âme et que vous êtes trop timide pour vous exprimer, profitez au moins de votre don lorsque vous êtes seul. Laissez circuler votre merveilleuse énergie et laissez les autres exprimer leur beauté intérieure. Vous serez peut-être là au bon moment pour stimuler les gens qui ont besoin de découvrir leurs propres talents. Vous pourriez être l'élément déclencheur qui aidera un autre être humain à commencer à avoir confiance en lui, lui procurant ce dont il a besoin pour faire grandir son talent.

C'est ce qui crée une réaction à la chaîne. Lorsque vous toucherez les gens avec vos talents, ils feront la même chose à leur tour. C'est une séquence d'apprentissage et d'enseignement qui se répand extrêmement rapidement, peu importe, que ce soit pour votre plaisir personnel ou pour une performance publique.

Souvenez-vous seulement que plusieurs personnes aimeraient chanter et jouer d'un instrument de musique. Si vous possédez ce don merveilleux, partagez-le fréquemment, raffinez-le, ayez du plaisir avec lui et faites circuler de bonnes vibrations autour de vous. Sinon, vous pouvez l'apprendre! Il y a tellement de nou-velles techniques pour accélérer l'apprentissage (par exemple : www.PianoWizard.com), vous n'avez plus d'excuses. En quelques jours vous pouvez apprendre une chanson.

La musique calme les émotions, elle rassemble les gens et elle est un remède à tous les maux. Avec la musique, vous pouvez exprimer n'importe quelle émotion. La preuve, c'est ce qu'on a observé chez les patients autistes. Des tests ont été faits avec un groupe encore plus important de personnes souffrant de différentes maladies. Lorsque la musique est entrée dans leur vie, un changement immédiat s'est produit dans le processus de guérison du patient; la musicothérapie a même guéri plusieurs d'entre eux.

Daytona - Danser avec ma moto sous la pluie

Lorsque je suis arrivée à Daytona toute seule dans mon véhicule récréatif, on me demandait constamment : « Où est ton petit ami? » Je répondais toujours : « Je n'ai pas de petit ami parce que je n'ai pas le temps d'avoir un petit ami. »

Les gens continuaient à me demander : « Dis donc, tu viens du Québec et tu es ici en Californie (ou en Floride) toute seule, sans petit ami et tu fais ta mécanique toi-même? C'est incroyable! »

Il faut dire qu'à Daytona, les garages sont des endroits parfaits pour avoir du plaisir. En plus des pilotes, il y a beaucoup de personnel des médias. Pour participer à la course du dimanche, je devais me qualifier au moins à la trente-huitième place sur soixante-quinze gars. Je pense que j'étais la seule femme dans ma catégorie.

Je me suis dit : « Eh bien! J'irai quand même et je réaliserai mon rêve même si je ne participe pas à la course. J'aurai quand même fait les pratiques pour la course à Daytona avec des hommes. »

Je me retrouvais donc toute seule à regarder tous les autres avec leurs mécaniciens qui travaillaient sur leurs motos, tandis que je me chargeais moi-même de changer mes pneus, mes freins et tout le reste. Je me sentais très seule et quelque peu mal à l'aise. Néanmoins, je me suis classée entre la quinzième et la vingtième place durant les essais.

Je me suis donc dit : « D'accord, j'ai de bonnes chances de me qualifier; maintenant mon seul but est de finir la compétition : ne pas tomber et ne pas être disqualifiée. »

Bien sûr, durant le week-end, j'ai joué de la guitare et rencontré d'autres amis, mais le meilleur moment a été le samedi soir. Durant le jour, nous avons eu un bon entraînement sur la piste de course, tous les participants étaient en forme et très excités. Il était environ 23 heures quand on m'a demandé si je voulais jouer de la guitare. Certains étaient prêts à aller dormir. Si vous voulez avoir du plaisir, faites-le maintenant, car vous ne savez jamais ce que demain vous réserve.

Puisque la course de moto est très coûteuse, si vous ne vous détendez pas le soir en vous laissant aller au son de la musique, cela ne vaut pas la peine de dépenser autant d'argent pour une course qui finalement ne vaudra pas grand-chose. Je veux dire par là qu'il faut s'amuser, avoir du plaisir et profiter du moment présent. Je prends ma guitare et je joue parfois tard dans la nuit.

Ce samedi soir-là, environ quinze personnes s'étaient réunies autour de nous et nous avons profité de cette magnifique soirée autour du feu de camp. Je me suis dit que vu que j'étais à Daytona, je m'allais m'amuser comme d'habitude, même si je devais faire bonne figure le lendemain.

Le dimanche matin, j'ai dû changer mes pneus parce qu'il pleuvait. Je déteste la pluie, vous ne pouvez pas imaginer à quel point! Pendant que je changeais mes pneus, j'ai commencé à sentir la rage monter dans ma tête. C'était cette petite voix négative qui ne cesse de se plaindre à propos de tout et de rien, une fois qu'elle a commencé son petit manège. Cette voix ressemble à un *hamster* qui ne cesse de bouger dans ma tête. J'ai participé à tellement de conférences dans ma vie et j'ai entendu le même message à l'effet que nous devons entretenir des pensées positives. Tout est une question d'attitude, c'est-à-dire ce qui se passe dans notre tête alors, je me suis mise à changer ma façon de penser.

Sachant qu'il y a toujours un bon côté à tout ce qui nous arrive, même si cela semble négatif à ce moment-là, je me suis dit : « Bon, je dois trouver le côté positif à la pluie aujourd'hui. Je suis à Daytona, je n'ai pas le choix. » Alors, j'ai réfléchi. Les Américains du Sud ne courent pas souvent sous la pluie. Cela veut dire que je peux avoir un avantage, surtout si j'ai un *départ foudroyant*! Ensuite, j'ai visualisé le fait que j'avais le meilleur départ de toute ma vie et que je me taillais une place gagnante sur le podium. Je me créais un scénario très positif dans ma tête.

Il est important de ne jamais entretenir cette petite voix négative et d'adopter un état d'esprit positif. Quand la course a commencé, j'ai eu un départ fulgurant. Durant la course, je me suis retrouvée en deuxième position dans le premier virage. Ouah! J'ai réussi à tenir la deuxième place jusqu'au dernier tour où j'ai été dépassée par un collègue pilote. J'ai fini la course troisième position sur le podium. Je ne pouvais pas y croire! Je l'avais fait. J'avais réalisé un rêve qui n'était même pas dans ma tête, mais le pouvoir de la pensée positive m'avait amenée d'un état sérieux de pensées négatives avant la course à occuper la troisième position!

Donc, ce dimanche-là a été la meilleure journée de ma vie, car j'ai terminé troisième. Il y avait 75 hommes dans la course et certains d'entre eux s'étaient amusés, avaient ri et chanté la veille avec moi. Juste un petit conseil, si vous désirez avoir du plaisir, ne buvez pas trop, restez toujours en contrôle. Pour moi, ces journées ont été parmi les meilleures de ma vie.

La richesse d'un moment est lorsque vous pouvez le vivre au maximum et qu'il fera partie de vos souvenirs. Vous voyez, peu importe où nous en serons dans notre vie, il y aura toujours de bonnes personnes autour de nous qui nous aideront à grandir. Profitez totalement du moment présent.

Juste un petit conseil qui vous aidera à long terme : si vous désirez vous amuser et profiter de la vie, ne perdez pas la raison et vos capacités en *buvant trop*. Gardez le contrôle de vous-même. Ce qui fait la richesse d'un moment, c'est de pouvoir le vivre pleinement et de l'emmagasiner dans votre banque de souvenirs. Vous voyez, partout où vous vous trouverez dans la vie, il y aura toujours de bonnes personnes autour de vous, des personnes qui seront là pour vous aider à grandir. Profitez pleinement de chaque moment. Nous avons tous un destin, une raison d'être sur la terre, une façon d'exprimer notre unicité et la possibilité de changer notre vie et celle de ceux que nous rencontrons sur notre chemin.

Nous choisissons chaque instant de faire notre marque sur cette terre de façon positive ou négative, dans toutes nos interactions, nos pensées et nos réalisations. C'est donc à vous de jouer et de prendre le prochain virage pour gagner la course de votre vie.

J'espère que ce livre VOUS A DONNÉ DU *POUVOIR*, qu'il vous a inspiré, qu'il vous a aidé à croire en vos rêves et en vous-même. Son but était de vous donner de l'espoir dans la vie.

Vous devez toujours vous souvenir de ce qui suit :

N'abandonnez jamais quand il est question de votre vie, de vos projets, de votre destin et de vos valeurs. À un certain moment dans votre vie, vous trouverez un ami pour vous réconforter et vous guider sur la bonne voie afin de gagner la course de votre vie.

J'espère vous voir sur le podium de votre vie!

GAGNER LA COURSE DE SA VIE

Vous pouvez avoir de grands rêves
Vous pouvez vous fixer des buts ultimes
Si votre cœur ne réveille pas
La passion dans votre âme
Vous serez perdu à jamais
Passez à l'action grâce à votre pouvoir

Vous pensez que c'est facile
Vous pensez que vous êtes assez bon
Le premier tournant est fou
Ce n'est pas le moment d'être mou
Nourrissez bien votre vision
Pour sortir vainqueur de la compétition

Refrain
Prenez un tournant à la fois
Traversez la ligne d'arrivée
Ce qui importe le plus
C'est de ne jamais abandonner dans la vie
Vous possédez tous les talents
Pour GAGNER LA COURSE DE LA VIE!
Vous allez assez vite
Vous suivez votre coeur
Votre défi peut être difficile
Mais vous devez être astucieux
La ligne droite s'en vient
Vous aurez le temps de respirer
Vous devez faire attention

Vous avez besoin de votre équilibre
En espérant que vous êtes conscient

N'ABANDONNEZ JAMAIS!

Que votre vie est votre chance
De faire briller votre cœur de tous ses feux
Chaque fois que vous partez

Transition :

Restez concentrés, restez sur la piste
De votre vie et de votre destin
Si les gens veulent briser
Vos rêves qui sont vos bébés
Évitez-les et restez solides
Sentez exactement où vous devez être.

Traduction libre/adaptation française
Paroles et musique par Nadine Lajoie

Discours du PDG de Coca-Cola, Brian G. Dyson, le 6 septembre 1996 lors d'une conférence donnée aux étudiants de la Georgia Tech.

« Imaginez la vie comme un jeu dans lequel vous jonglez avec cinq balles. Elles se nomment : travail, famille, santé, amis et spiritualité... il faut toutes les garder dans les airs.

Vous comprendrez rapidement que le travail est comme une balle en caoutchouc. Si vous la laissez tomber, elle rebondira. Mais les quatre autres balles : famille, santé, amis et spiritualité sont faites de verre. Si vous en échappez une, elle sera ébréchée, abimée, voire même brisée. Jamais elle ne redeviendra la même.

De quelle façon?

- Ne sous-estimez pas votre valeur en vous comparant à d'autres. C'est parce que nous sommes tous différents que chacun de nous est unique.

- Ne fixez pas vos buts d'après ce que d'autres personnes pensent que vous devriez faire. Vous seul savez ce qui est le mieux pour vous.

- Ne tenez pas pour acquises les choses qui sont chères à votre cœur. Accrochez-vous-y comme si votre vie en dépendait, car sans elles, la vie est sans signification.

- Ne laissez pas votre vie vous glisser entre les doigts en vivant dans le passé ou dans l'avenir. En vivant votre vie un jour à la fois, vous profitez ainsi de chaque jour.

▪ N'abandonnez jamais tant qu'il vous reste encore quelque chose à donner. Rien n'est jamais terminé tant que vous ne cessez pas d'essayer.

▪ N'ayez pas peur d'admettre que vous n'êtes pas parfait. C'est ce mince fil qui nous unit les uns aux autres.

▪ N'ayez pas peur de prendre des risques. C'est en en prenant que nous apprenons à ouvrir le chemin.

▪ N'excluez pas l'amour de votre vie en disant qu'il est impossible d'en trouver le temps. Le moyen le plus court pour recevoir l'amour est de le donner; le moyen le plus rapide pour perdre l'amour est de le retenir; le meilleur moyen de garder l'amour est de lui donner des ailes!

▪ Ne voyagez pas dans la vie si vite que vous oubliez non seulement d'où vous venez, mais aussi où vous allez.

▪ N'oubliez pas que les plus grands besoins émotionnels d'une personne c'est de se sentir appréciée.

▪ N'ayez pas peur d'apprendre. La connaissance ne pèse rien, c'est un trésor que vous pouvez toujours transporter facilement partout où vous allez.

▪ N'utilisez pas le temps ou les mots négligemment. Ni l'un ni l'autre ne peut être retiré. La vie n'est pas une course, mais un voyage à savourer pas à pas. »

GAGNER EN AFFAIRES
Avec l'état d'esprit d'un champion!

Les formations dynamiques et inspirantes de Nadine transformeront votre passion et la ranimeront pour que vous puissiez vous hisser vers une réussite exceptionnelle et obtenir un rendement maximal en affaires et dans la vie. Les grandes réalisations de Nadine et le fait qu'elle est une athlète accomplie dans un monde d'hommes, à l'échelle internationale, vous aideront à développer l'état d'esprit d'un champion et améliorer la productivité de votre entreprise! Vous apprendrez comment :

• améliorer votre productivité et mieux gérer votre temps pour obtenir un meilleur équilibre au travail et dans votre vie personnelle;

• devenir un expert dans votre industrie en obtenant plus de visibilité par l'entremise des médias;

• avoir plus de plaisir et de temps libre en organisant votre horaire de la semaine et en étant plus efficace;

• élaborer votre plan d'action en six étapes avec votre système de COURSE vers la prospérité (*Prosperity R.A.C.I.N.G. System™*);

• augmenter vos revenus en mettant en application le volet transactionnel par rapport au volet transforma-tionnel de votre entreprise.

Formatrice de succès à haute vitesse, entrepreneure internationale et championne de courses de moto, elle chante aussi comme un ange. Nadine Lajoie est conférencière internationale, auteure du best-seller *Win the Race of Life* – livre quatre fois finaliste dans des concours Bookawards (États-Unis et Londres) dans les catégories Inspiration, Jeunes Adultes et Wild Card – et co-fondatrice de *Teen CEO Reality TV Show.* Elle a pris sa retraite et est devenue millionnaire à l'âge de 41 ans, elle a coaché plus de 850 clients depuis 1995 afin de les aider dans le domaine financier, dans celui des affaires et dans leur cheminement personnel.

Nadine a paru à V-Télé, Radio-Canada, Forbes, USA Today, ABC, CBS Argent et elle a partagé la scène de TEDx, California Women's Conference. Elle s'est retrouvée parmi les plus grands orateurs au pays, y compris Jamie Lee Curtis, Les Brown, Marianne Williamson, le docteur John Gray, Oscar De La Hoya, Michael B. Beckwith, Adam Markel, Ali Brown, Berny Dohrmann et bien d'autres. Nadine a donné des conférences en Europe, en Afrique, en Indes, au Canada et aux États-Unis.

Elle inspire (*IN-Power*) les entrepreneurs et les femmes dans le monde entier avec une approche complètement nouvelle et UNIQUE, utilisant la moto de course comme métaphore de la vie et des affaires, en fournissant un puissant et énergique message visant à consolider le succès, l'adrénaline et la puissance avec douceur, musique et développement personnel.

CATÉGORIES :

LEADERSHIP / TRAVAIL D'ÉQUIPE /

RENDEMENT MAXIMAL / AFFAIRES /

ÉQUILIBRE TRAVAIL ET VIE PERSONNELLE /

OBJECTIFS CIBLES / IMMOBILIER / RÊVES ET PASSION

D'autres sujets et thèmes des présentations de Nadine :

- Gagnez la course de la vie avec équilibre et passion à 300 km/h
- Comment devenir un expert au sein de votre industrie plus rapidement?
- Gagnez dans un monde d'hommes en équilibrant travail et vie personnelle
- La COURSE vers le succès grâce à un état d'esprit de champion
- Augmentez vos ventes avec votre émission de télé sur le Web, votre émission de radio sur Internet et vos événements en direct
- Du barrage routier à l'état d'esprit d'un champion (pour athlètes)
- Gagnez la course de la vie pour entrepreneurs
- Comment vaincre l'adversité et mettre toutes les chances de votre côté?
- Sortez de la dépression en ayant des buts, une passion et un plan d'action

Quelques réalisations au crédit de Nadine Lajoie :

- Conférencière et formatrice à l'échelle internationale
- Entrepreneure primée à l'échelle mondiale
- Coach d'affaires et d'accélération du succès
- Conférencière internationale et auteure à succès
- Femmes d'impact de l'année 2012 (États-Unis)
- Meilleure entreprise de l'année 2007 (Canada)
- 4e en piano au Championat provincial (1984)
- 9e au Championnat de volleyball (2000)
- 9e au Championnat national WERA aux E.U. (2007)
- Auteure à succès et finaliste à quatre reprises pour son livre (États-Unis et Grande-Bretagne) dans des concours Book Awards dans les catégories Inspiration, Jeunes Adultes et Wild Card
- Retraitée et millionnaire à l'âge de 41 ans grâce à sa première entreprise
- Gagnante de plus de 20 prix internationaux en affaires et/ou dans le domaine de la finance
- Propriétaire de cinq entreprises au Canada et aux É.U.

Devenez le champion de votre vie!

Apprenez comment avoir et adopter l'état d'esprit d'un champion pour obtenir encore plus de succès et atteindre un rendement maximal dans votre entreprise et votre vie. Surmonter tous vos défis et tous vos obstacles dans la vie vous permettra de devenir un gagnant.

Si vous désirez développer l'état d'esprit d'un champion et obtenir du succès dans votre entreprise et votre vie personnelle, visitez le www.NadineCoaching.com pour organiser votre séance de stratégie personnelle gratuite avec Nadine et avoir accès à des cadeaux et des primes d'une valeur de plus de 2 000 $, y compris votre système de COURSE vers la prospérité (*Prosperity R.A.C.I.N.G. System*TM). C'est amusant, c'est visuel et c'est vraiment efficace!

Visitez www.NadineRacing.com ou

téléphonez au 949-421-7562.